nuevo

inicial **1**

CUADERNO DE EJERCICIOS

Virgilio Borobio

Proyecto didáctico
Equipo de Idiomas de Ediciones SM

Autor
Virgilio Borobio

Diseño de interiores
Alfredo Casaccia

Diseño de cubierta
Alfonso Ruano
Julio Sánchez

Maqueta
Diego Forero Orjuela, Tjade Witmaar

Fotografías
Ángel Sánchez, Archivo SM, Ignacio Ruiz Miguel, Jack Hollingsworth, Luis Castelo, Marco Polo,
Olivier Boe, Oronoz, Pedro Carrión, Photolink

Ilustración
Luis Rojas
Ángel Sánchez

Coordinación técnica
Ana García Herranz

Coordinación editorial
Aurora Centellas
Susana Gómez

Dirección editorial
Concepción Maldonado

(edición corregida)

Comercializa:

Para el extranjero:
EDICIONES SM
División de Comercio Exterior
Joaquín Turina, 39
28044 Madrid (España)
Teléfono: (34) 91 422 88 00
Fax: (34) 91 508 33 66
E-mail: internacional@grupo-sm.com

Para España:
CESMA, SA
Aguacate, 43
28044 Madrid
Teléfono: 91 508 86 41
Fax: 91 508 72 12

**Instituto
Cervantes**

Método conforme al Plan Curricular
del Instituto Cervantes

© Virgilio Borobio Carrera - Ediciones SM, Madrid

ISBN: 84-348-7661-2 / Depósito legal: M-4.164-2004
Huertas Industrias Gráficas, SA / Fuenlabrada (Madrid)
Impreso en España / *Printed in Spain*

índice

1 **Forma** un diálogo con las palabras del recuadro.

• me • Yo • tú • Me • Luis • Hola • Hola • llamo • llamo • Marta • Y

— .... ¿ ....?

• ....

— ¡...........................¡

• ¡...............................¡

2 **Escribe** "buenos días", "buenas tardes" o "buenas noches".

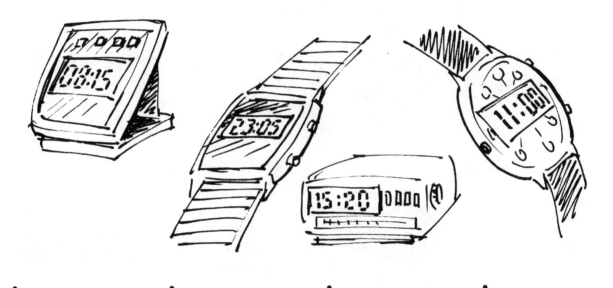

• .... • .... • .... • ....

3 **Escribe.**

1 letra que rima con **A**. Ⓚ   **7** letras que riman con **Γ**. Ⓛ ◯◯◯◯◯◯

7 letras que riman con **B**: Ⓒ ◯◯◯◯◯◯   **1** letra que rima con **U**: ◯

4 **Escucha** y escribe las letras que oigas.

b - a - r ....

....

....

....

5 **Escribe** las frases en las burbujas correspondientes.

¿Está bien así? No Sí...

¿Cómo se escribe?

¿Puedes repetir, por favor?

No entiendo.

6 **Relaciona** los dibujos con las palabras o expresiones.

pregunta lee

marca escucha

escribe mira

habla con tu compañero

A. *lee* ....
B. ....
C. ....
D. ....

E. ....
F. ....
G. ....

7 **Completa** estas palabras con las vocales "a", "e", "i", "o", "u".

1. c __ n __
2. t __ l __ f __ n __
3. __ __ r __ p __ __ r t __

4. ch __ c __ l __ t __
5. r __ s t __ __ r __ nt __

6. __ d __ __ s
7. p __ s __ p __ rt __

8 **Deletrea** estas palabras y comprueba:

hotel bien apellido aeropuerto

9 **Observa** el anuncio y escribe las palabras que entiendas.

Palabras:

.... | .... | ....
.... | .... | ....
.... | .... | ....

SOPA DE LETRAS ▮▮▮▮▮▮

1 **a** **Busca** diez adjetivos de nacionalidad correspondientes a estos países.

Japón | Inglaterra | Suiza | Holanda | México | Alemania | Suecia | Francia | Italia | Argentina

B	A	R	G	E	N	T	I	N	O
J	A	P	O	N	E	S	T	U	R
H	X	I	R	U	F	X	A	G	M
O	D	F	O	J	R	Y	L	R	E
L	A	L	E	M	A	N	I	O	X
A	M	O	V	I	N	E	A	P	I
N	O	S	U	E	C	A	N	E	C
D	I	N	G	L	E	S	A	F	A
E	H	Q	Y	H	S	O	C	U	N
S	J	O	S	U	I	Z	A	D	A

b **Ahora escribe** el masculino y el femenino de esos adjetivos.

	MASCULINO	FEMENINO		MASCULINO	FEMENINO
1.	francés	francesa	6.	....	....
2.	....	....	7.	....	....
3.	....	....	8.	....	....
4.	....	....	9.	....	....
5.	....	....	10.	....	....

2 **Completa** el diálogo con las palabras del recuadro.

• está • escribe • bien • dice • Más

— ¿Cómo se .... "good bye" en español?

• "Adiós".

— ¿Cómo se .... ?

• A – d – i ....

— .... despacio, por favor.

• A – d – i – ó – s.

— ¿Está .... así?

• A ver... Sí, ... bien.

3 **a** **Forma** tres preguntas con las palabras del recuadro.

> • dónde   • Cómo   • lenguas   • te   • Qué
> • llamas   • eres   • hablas   • De

1. ¿ ....?
2. ¿ ....?
3. ¿ ....?

b **Escribe** ahora tus respuestas a esas preguntas.

1. ....
2. ....
3. ....

CRUCIGRAMA ▌▌▌▌▌ Los números

4 **Escribe** los números con letras.

5 **Busca** el intruso.

Portugal	bar	lee
Colombia	dieciséis	escribe
francés	cine	escucha
Estados Unidos	hotel	italiano
Egipto	restaurante	pregunta

7 **Escucha** y haz la pregunta correspondiente.

1. Buenos días / francés _¿Cómo se dice "buenos días" en francés?_

2. Adiós / italiano ....
   ....

3. Hola / inglés ....
   ....

4. Buenas tardes / japonés ....
   ....

5. Sí / holandés ....
   ....

6. Gracias / sueco ....
   ....

7. Hasta mañana / árabe ....
   ....

8. No sé / portugués ....
   ....

6 **¿Qué** países te sugieren estas palabras?

1. Macarroni.   _Italia_
2. Vodka.   ....
3. Kárate.   ....
4. Samba.   ....
5. Jazz.   ....
6. Tequila.   ....
7. Rock and Roll. ....
8. Club.   ....
9. Reggae.   ....
10. Champagne.   ....

Descubre España y América Latina

8 **Escribe** las frases en las burbujas correspondientes.

1. Una cerveza, por favor.
2. Más alto, por favor.
3. ¿Cómo se dice esto en español?
4. Más despacio, por favor.
5. Perdón.
6. No sé.

9 **Vuelve** a leer las lecciones 1 y 2 del libro del alumno. ¿Conoces otras palabras relacionadas con España o Latinoamérica?

- ....
- ....
- ....
- ....

1

a **Busca** una profesión en cada anuncio y escríbela.

A _ _ _ _ ❹ _ _

B _ ❷ _ _ _ _ _ _ ❿

C _ _ _ _ ❻ _ ❾ _

D _ _ _ _ ❸ _ ❺

E _ _ ❶ _ _ _ ❽ _

F ❼ _ _ _ _

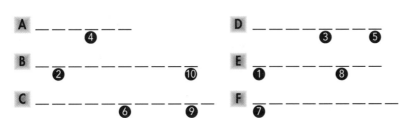

A
MÉDICOS
Internos para cursos resi-
denciales de verano en:
Madrid, Asturias, Costa
Brava. En julio y agosto.
Para información llame a
la señorita Maite.
☎ 91 345 99 09

E
AUTOESCUELA
Precisa profesor para el
campo de Gibraltar, bue-
nas condiciones.
☎ 95 754 42 55, 956
66 00 57, 956 66 15 78

Empresa de instalaciones
eléctricas necesita
**INGENIERO
INDUSTRIAL**
Para realizar ofertas, estudios
y proyectos de instalaciones
eléctricas de B.T. y M.T.
Se valorará experiencia.
Telf. 91/ 461 39 63
F

D
• **Restaurante** japonés necesita
camarero, responsable, con o sin
experiencia. ☎ 91 534 00 21

C
• **Necesitamos** dependienta para
boutique bisutería y complemen-
tos, situada en la galería del Prado,
imprescindible experiencia venta
en ramo de la moda y hablar
inglés. Contactar señorita Maribel.
☎ 96 520 61 65, 96 526 05 66

IMPORTANTE EMPRESA
NECESITA
**secretaria
comercial**
Imprescindible dominio del inglés
Ofrecemos:
• Salario competitivo.
• Jornada intensiva todo el año, de lunes a viernes.
• Zona de trabajo García Noblejas.
Interesados escribir al apartado de
Correos 15.000, 28080 Madrid.
Indicando la Referencia: 264
B

b **Ahora** usa las claves y escribe el nombre de otra profesión.

_ _ _ _ _ _ _ _ _ _
❶ ❷ ❸ ❹ ❺ ❻ ❼ ❽ ❾ ❿

2 **Escribe** los números que faltan.

14 100
88 96
  15
33 50
  12
21 13
49 67
18 78

catorce
setenta y ocho
treinta y tres
veintiuno
dieciocho
noventa y seis
cien
ochenta y ocho
cincuenta

....
....
....
....
....

3 **Ordena** estos datos y escríbelos en el sobre.

C/Alcalá

28001 MADRID

María Ruiz

Nº 65 - 4º A

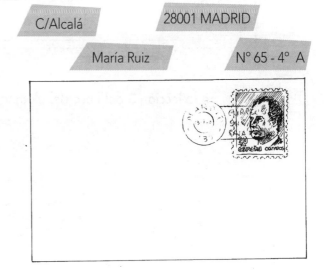

4 Escribe estas preguntas correctamente.

1. ¿Cómotellamas? ....
2. ¿Dedóndeeres? ....
3. ¿Quéhaces? ....
4. ¿Dóndevives? ....
5. ¿Quénúmerodeteléfonotienes? ....
....

5 Forma el máximo número de frases posibles con elementos de las tres columnas.

• Soy		Filosofía.
• Trabaja	en	inglés y un poco de francés.
• Hablo	de	Bolivia.
• Estudia	ø	un restaurante.
• Vive		la calle Churruca.
		periodista.

6 a Completa el diálogo con las palabras del recuadro.

• en   • yo   • colombiana   • soy   • vivo   • de

— Tú eres suramericana, ¿verdad?
• Sí, soy ....
— ¿De Bogotá?
• No, ... Medellín.
— Yo soy catalán, pero .... en Madrid.
• ¡Ah!

— ¿Qué haces? ¿Estudias o trabajas?
• Trabajo .... un hospital, ...
médico.
— Pues .... estudio Psicología.

b Escucha y comprueba.

7 Rellena esta ficha con tus datos personales.

SUSCRÍBETE GRATIS AL BID (Boletín Informativo Discoplay)

Primer APELLIDO

Segundo APELLIDO

NOMBRE   EDAD   TELÉFONO

CALLE   NÚM.   PISO   PUERTA   CÓDIGO POSTAL

POBLACIÓN   PROVINCIA

8 Busca en la lección 3 del libro del alumno las palabras o expresiones más difíciles y escríbelas.

• ....
• ....
• ....
• ....

Descubre España y América Latina

9 **a** **Lee** esta tarjeta y completa las frases.

Emilio Gallego .... periodista. Trabaja en un .... de Salamanca. Vive en la .... Canales. Tiene teléfono fijo, móvil, fax y su .... electrónico es ....

b **Lee** esta otra tarjeta y escribe frases sobre Pedro.

Pedro ....
....
....

1 a ¿"Tú" o "usted"? Aquí tienes dos diálogos mezclados (1 y 2). Señala qué frases corresponden a cada uno de ellos.

[1] Muy bien, gracias. ¿Y usted?	[ ] Muy bien. Mira, este es Julio, un compañero de clase. Y esta, Cristina, una amiga.
[2] ¡Hola, Gloria! ¿Qué tal?	[ ] Bien, también. Mire, le presento a la señora Gómez. El señor Sáez.
[ ] Encantado.	[ ] Buenos días. ¿Qué tal está, señor Pérez?
[ ] ¡Hola!	[ ] ¡Hola!
[ ] Mucho gusto.	

b Ahora ordena y escribe los dos diálogos.

1. Buenos días. ¿Qué tal está, señor Pérez?
....
....
....
....

2. ¡Hola, Gloria! ¿Qué tal?
....
....
....
....

2 Completa estas frases con "el" "la" o "Ø".

1. Buenas tardes, ... señor Coll.

2. ¿ .... señorita Díaz, por favor?

3. ¿Qué tal, ... señor Tejedor?

4. Perdone , ¿es usted .... señor Urrutia?

5. Mire, le presento a .... señora Ugarte.

6. Buenos días. Soy .... señor Villanueva.

7. Hasta mañana, ... señora Castaños.

3 ¿Qué dices en las siguientes situaciones? Escríbelo.

Buscas a la señora Torres	¿La señora Torres, por favor?
Te despides del señor Montes	
Saludas al señor Sánchez	
Buscas a la señorita Montero	
Presentas a la señora Álvarez y al señor Ortiz	
Saludas al señor Barrera	
Presentas al señor Sagasta y a la señora Hermosilla	

4 a Lee estas preguntas y escribe "tú" o "usted".

1. ¿Qué tal estás? (tú)

2. ¿Es estudiante? [ ]

3. ¿Qué estudias? [ ]

4. Es holandés, ¿verdad? [ ]

5. ¿Dónde trabaja? [ ]

6. ¿Qué lenguas hablas? [ ]

7. Vives en Bilbao, ¿no? [ ]

b Ahora completa las dos columnas con las preguntas que faltan.

tú	usted
• ¿Qué tal estás?	• ¿Qué tal está?
•	• ¿Es estudiante?
• ¿Qué estudias?	• ....
•	• Es holandés, ¿verdad?
•	• ¿Dónde trabaja?
• ¿Qué lenguas hablas?	• ....
• Vives en Bilbao, ¿no?	• ....

6 Escucha y haz la pregunta correspondiente.

1. El Sr. Oliva.
   ¿El señor Oliva, por favor?
2. La Srta. Rubio.
3. La Sra. Martínez.
4. El Sr. Murillo.
5. La Srta. Castro.
6. El Sr. Lago.
7. La Sra. Navarro.

7 a Escucha y señala las frases que oigas.

1. Es italiano / ¿Es italiano?
2. Es profesor de Física / ¿Es profesor de Física?
3. Vive en Argentina / ¿Vive en Argentina?
4. Estudia Medicina / ¿Estudia Medicina?
5. Trabaja en un restaurante / ¿Trabaja en un restaurante?

b Escribe una pregunta o una respuesta para cada una de las frases señaladas.

1. ....
2. ....
3. ....
4. ....
5. ....

5 Crucigrama

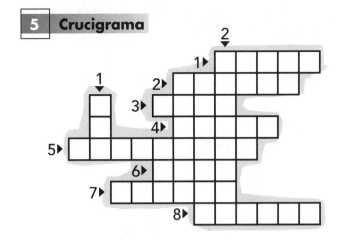

Horizontales

1. ¿El señor Almeida, por ....?
2. Usted es holandés, ¿ ....?
3. ¿Qué tal .... , señorita Montes?
4. ¿ .... trabajas?
5. Marisol trabaja en un .... , es periodista.
6. ¿Cómo se .... "ciao" en español?
7. ¿Qué número de teléfono ....?
8. Hasta ....

Verticales

1. ¿ .... lenguas hablas?
2. Isabelle es ...., de París.

8 Busca en la lección 4 del libro del alumno las palabras y expresiones más útiles y escríbelas.

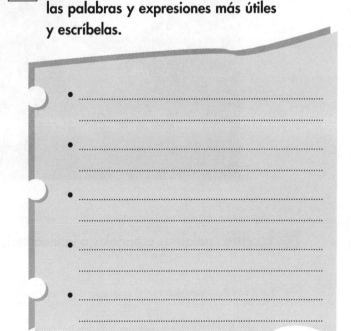

Descubre España y América Latina

9 **a** **Lee** estas palabras que se usan en español, pero que proceden de otras lenguas. ¿Las conoces?

tenis   pizza   web   delicatessen

graffiti   spaghetti   judo

soprano   chat   Internet

b **Escribe** la palabra que corresponde a cada foto.

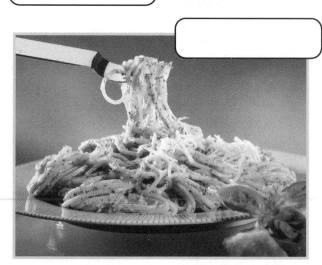

c **Escribe** palabras españolas o latinoamericanas que se usen en tu lengua.

Fiesta, siesta

SOPA DE LETRAS

1 **Busca** el femenino de estas palabras:

• tío	• marido
• abuelo	• sobrino
• hijo	• nieto
• padre	• hermano

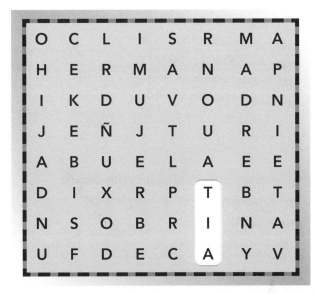

O	C	L	I	S	R	M	A
H	E	R	M	A	N	A	P
I	K	D	U	V	O	D	N
J	E	Ñ	J	T	U	R	I
A	B	U	E	L	A	E	E
D	I	X	R	P	T	B	T
N	S	O	B	R	I	N	A
U	F	D	E	C	A	Y	V

2 **¿Te acuerdas** de la familia Chicote? Consulta la actividad 1 del libro del alumno y completa su árbol de familia con los nombres correspondientes.

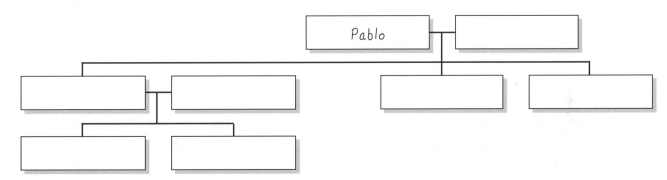

Pablo

3 **Ahora dibuja** tu propio árbol de familia.

4 **Lee** esta noticia del periódico y escribe seis frases sobre Rodolfo.

Agencia ELE

Rodolfo Parra, médico chileno de 38 años, casado y padre de cuatro hijos, fue confundido y entrevistado ayer en el aeropuerto de Barajas por varios periodistas que esperaban la llegada del cantante Pancho Vega. Alto, moreno y de extraordinario parecido físico con el mencionado artista, Rodolfo respondió gustoso a todas las preguntas y confesó que ninguna de sus anteriores visitas a Madrid había despertado tanto interés.

1. Rodolfo es médico.
2.
3.
4.
5.
6.

5 **a** **Completa** cada pregunta con una de estas palabras. Pon las mayúsculas necesarias.

dónde qué cómo quién cuántos

1. ¿A .... te dedicas?
2. ¿............. años tiene tu hijo?
3. ¿............. vive tu hermana?
4. ¿............. es este?
5. ¿............. se llama tu madre?
6. ¿............. hijos tienes?
7. ¿A .... se dedica tu padre?

b **Ahora** empareja estas respuestas con las preguntas anteriores.

A. Veinticinco. ....2....
B. En Madrid. ....
C. Es ingeniero. ....
D. Dos, un hijo y una hija. ....
E. Mi hermano mayor. ....
F. Estudio Sociología. ....
G. Lucía. ....

6 **a** **¿Singular o plural?** Escribe cada una de estas palabras en la columna correspondiente.

dependiente tía madre japonés delgado calles alemanas joven restaurantes bar francés hijos hospital altas

Singular	Plural
dependiente	calles

b **Ahora** escribe el singular y el plural de esas palabras.

Singular	Plural
dependiente	dependientes

7 **Lee** estos diálogos y subraya la forma verbal que corresponda.

1. — ¿Cuántos años **tiene/tienen** tu sobrina?
   • Cinco.

2. — ¿**Está/Están** casadas tus hermanas?
   • La mayor, sí; la pequeña, no.

3. — Tus padres **es/son** bastante jóvenes, ¿no?
   • Bueno, **tiene/tienen** más de cincuenta años ya.

4. — ¿Dónde **vive/viven** tus abuelos?
   • En Valencia.

5. — Tu hermano **habla/hablan** inglés y árabe, ¿verdad?
   • Sí, y sueco también.

6. — ¿**Tienes/Tenéis** hijos?
   • Sí, tenemos una hija de dos años.

7. — ¿**Trabaja/Trabajan** tus padres?
   • No, **está/están** jubilados.

ROMPECABEZAS ▌▌▌▌▌▌

8 **La última** letra de una palabra es la primera de la siguiente.

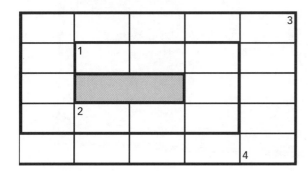

1. Lo contrario de "viejos".
2. Lo contrario de "antipática".
3. Lo contrario de "bajos".
4. Masculino de "seria".

9 **Escucha** y haz las preguntas correspondientes.

1. (tú).   *¿A qué te dedicas?*
2. Rosa.   *¿A qué se dedica Rosa?*
3. (Usted).   ....
4. Tus padres.   ....
5. (Ustedes).   ....
6. Tu hermano.   ....

DICTADO ▌▌▌▌▌▌

10 **Primero** escucha cada frase sin escribir. Luego, vuelve a escuchar las frases y escríbelas.

1. (3 palabras)   *¿Quién es este?*
2. (4 palabras)   ....
3. (3 palabras)   ....
4. (4 palabras)   ....
5. (6 palabras)   ....
6. (4 palabras)   ....

11 **Busca** en la lección 5 del libro del alumno palabras difíciles de pronunciar y escríbelas.

• ....
....
• ....
....
• ....
....
• ....
....

Ahora intenta pronunciarlas correctamente.

Descubre España y América Latina

12 **a** **¿Crees** que las familias españolas tienen muchos hijos? Lee este texto y comprueba. Puedes usar el diccionario.

Información Nacional

Instituto Nacional de Estadística

Según datos del Instituto Nacional de Estadística del año 2000, cada mujer española tiene 1,07 hijos, lo que constituye el récord mundial de baja natalidad. La mayoría de las mujeres casadas decide ser madre (el 90%), pero solo tiene uno o dos hijos.

Los expertos afirman que algunas causas de esta situación son de tipo económico y hay muchas mujeres que no tienen trabajo. Otras sí tienen, pero sus condiciones laborales no son buenas.

Fuente: *Tiempo*

b **Piensa** en tu país y subraya la opción que consideres adecuada.

1. En mi país las mujeres tienen **más/menos** hijos.
2. Cada mujer tiene **más/menos** de dos hijos.
3. En mi país hay **muchas/pocas** mujeres que trabajan fuera de casa.

1 Crucigrama

B O L I G R A F O

2 Escribe los números que faltan.

2345   5678   123

8950   7890   3456

4567   6789

ciento veintitrés

dos mil trescientos cuarenta y cinco

tres mil cuatrocientos cincuenta y seis

....

....

....

....

....

3 Piensa en cuatro monedas o billetes de tu país y escribe de qué color son.

1. _Los billetes de_ .... _son_ ....

2. ....

3. ....

4. ....

4 a Ordena las palabras y haz la pregunta correspondiente.

1. ¿es la Cuál moneda Colombia de? ....
....

2. ¿desea Qué? ....

3. ¿mapas Tienen? ....

4. ¿ese ver Puedo verde? ....
....

5. ¿bolso este cuesta Cuánto? ....
....

b Ahora empareja estas respuestas con las preguntas anteriores.

A. Treinta y dos euros. .....5.....

B. El peso colombiano. ....

C. Sí. Mire, tenemos todos estos. ....

D. Un bolígrafo azul. ....

E. ¿Este? ....

ÁRBOL DE LETRAS ▮▮▮▮▮▯▯

5 **Forma** doce palabras con estas letras. Piensa en:

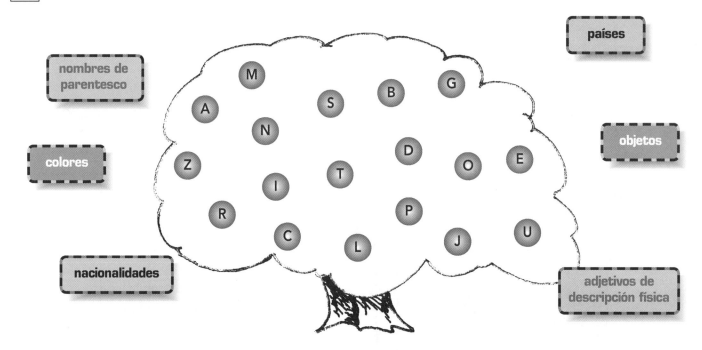

países

nombres de parentesco

colores

objetos

nacionalidades

adjetivos de descripción física

1. ....

2. ....

3. ....

4. ....

5. ....

6. ....

7. ....

8. ....

9. ....

10. ....

11. ....

12. ....

6 **Escucha** y pregunta el precio.

1. Bolígrafo.
   ¿Cuánto cuesta este bolígrafo?
2. Cuaderno.
3. Postal.
4. Sobres.
5. Mapa.
6. Gafas.
7. Agenda.
8. Reloj.

7 **Busca** en la lección 6 del libro del alumno las palabras o expresiones más difíciles y escríbelas. Si no te acuerdas del significado de alguna palabra, búscalo en el diccionario.

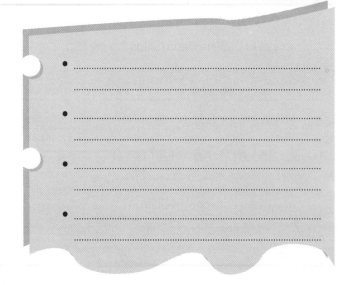

- ....
- ....
- ....
- ....

8 **Lee** y ordena este diálogo entre el dependiente y el cliente de una tienda.

.... ¿Puedo ver esa negra?

.... Trece euros con cuarenta céntimos.

.... ¿Esta?

........1....... ¿Tiene agendas?

.... Sí. Mire, aquí están. Tenemos todas estas.

.... Vale. Me la llevo.

.... Sí, sí, esa. ¿Cuánto cuesta?

9 **Ahora** escribe el diálogo entre el dependiente y un cliente que compra un bolígrafo azul de 12 euros.

— Cliente.

• Dependiente.

— Cliente.

• Dependiente.

— Cliente.

• Dependiente.

— Cliente.

• Dependiente.

1 a BUSCA el intruso.

famosa	¿qué?	hermana	ingeniero	sobre
tranquila	¿cuántos?	sobrino	puerto	serio
bonito	abuela	hija	catedral	cuaderno
playa	¿cómo?	tío	parque	periódico
pequeño	¿dónde?	río	museo	agenda

b **Con** las iniciales de los cinco "intrusos" se puede formar el nombre de la capital de un país europeo. ¿Sabes cuál es? _ _ _ _ _

2 ¿"Es" o "está"? Busca cuatro errores y corrígelos.

1. Mi sobrina pequeña es muy inteligente. ....

2. Soy de un pueblo que está muy famoso por sus fiestas. ....

3. — ¿Quién está ese señor? ....
   • Un amigo de mi padre.

4. Mi pueblo es en la costa mediterránea, cerca de Valencia. ....

5. Salamanca es una ciudad antigua y muy bonita. ....

6. —Esa chica es la hermana de Eva, ¿verdad? ....
   • Sí.

7. —¿A qué se dedica Marta? ....
   • Está enfermera.

3 Completa con "en" o "de".

1. Zaragoza está bastante lejos .... Barcelona, a 300 kilómetros.

2. Santander está .... el Norte de España, ¿no?

3. Managua es la capital .... Nicaragua.

4. ¿Granada está .... Andalucía?

5. Toledo está al sur .... Madrid, a unos 80 kilómetros.

6. Salamanca está muy cerca .... Portugal, ¿verdad?

7. Tú no eres .... Sevilla, ¿verdad?

8. ¿El Museo del Prado está .... Madrid o .... Barcelona?

9. Es una ciudad muy bonita que está .... la costa y tiene una playa preciosa.

10. ¿Dónde están las islas Canarias? ¿............ el Mediterráneo o .... el Atlántico?

4 **Escribe** con números las poblaciones de las seis ciudades españolas más grandes*.

1. Madrid tiene tres millones ciento ocho mil cuatrocientos sesenta y tres habitantes.
   Madrid: 3,108.463

2. Barcelona tiene un millón setecientos doce mil trescientos cincuenta habitantes.

3. Valencia tiene setecientos cuarenta y nueve mil quinientos setenta y cuatro habitantes.

4. Sevilla tiene seiscientos sesenta y nueve mil novecientos setenta y seis habitantes.

5. Zaragoza tiene quinientos ochenta y seis mil quinientos setenta y cuatro habitantes.

6. Málaga tiene quinientos cincuenta y cinco mil quinientos dieciocho habitantes.

*Fuente: Anuario EL PAÍS, 1991

5 **Escribe** sobre un pueblo o una ciudad que te guste mucho. Puedes usar el diccionario.

6 **Escucha** y haz la frase correspondiente.

1. Ciudad/pequeña.
   Es una ciudad muy pequeña, ¿verdad?
2. Playa/bonita.
3. Museo/moderno.
4. Río/famoso.
5. Catedral/antigua.
6. Parque/tranquilo.

7 **Piensa** en tres palabras o expresiones que dices mucho en tu lengua y no conoces en español. Averigua cómo se dicen y escríbelas.

Descubre España y América Latina

8 **Lee** este texto y completa el cuadro.

MÉXICO D.F.

México D. F., la capital de la república de México, tiene unos 20 millones de habitantes y es la ciudad más grande de Hispanoamérica. Está en el centro del país rodeada de montañas, y a 2.309 metros sobre el nivel del mar. Tiene más de 350 distritos, muchos de ellos con su propia plaza pública y sus correspondientes edificios importantes.

México D. F. se construyó sobre las ruinas de Tenochtitlán, la capital del imperio azteca fundada en el año 1325. En ella podemos encontrar muchos lugares y monumentos representativos de las diferentes épocas de su historia, como la plaza del Zócalo, que es la más grande y antigua de la ciudad.

CIUDAD	
NÚMERO DE HABITANTES	
SITUACIÓN	
ORIGEN	
ALGÚN LUGAR DE INTERÉS	

SOPA DE LETRAS ▌▌▌▌▌

1 **Busca** los nombres de seis muebles.

S	U	B	E	S	I	L	L	A	D
I	C	T	R	O	V	E	K	H	E
L	P	E	V	F	A	Z	U	C	I
L	A	R	M	A	R	I	O	Ñ	C
O	X	A	B	F	A	G	L	E	A
N	U	R	O	P	Y	B	U	L	M
E	S	T	A	N	T	E	R	I	A
Q	I	L	H	U	S	F	U	P	G
O	R	M	E	S	I	L	L	A	Y

2 **¿En qué habitación?** Escribe estas palabras y las del ejercicio 1 en la columna correspondiente. Algunas pueden ir en varias columnas.

lavabo   bañera   televisión   ducha

cocina de gas   lavadora   frigorífico

Cocina	Dormitorio
lavadora	*cama*

Baño	Salón

3 **Busca** ocho parejas de contrarios. Sobran cuatro palabras.

> • interior • pequeña • nueva • tranquila • feo
> • moderna • inteligente • grande • antigua • ancha
> • barato • delgado • caro • famosa • bonito • vieja
> • estrecha • gracioso • exterior • gordo

1. *interior ≠ exterior*   5. ....
2. ....   6. ....
3. ....   7. ....
4. ....   8. ....

4 **Completa** con "es", "tiene" o "da". Usa letras mayúsculas cuando sea necesario.

"Mi piso .... bastante grande.
.... cuatro habitaciones, salón, cocina y baño.
También .... dos terrazas, pero muy pequeñas.
.... bastante antiguo y muy bonito. Además,
.... a una plaza muy tranquila y .... mucha
luz. Lo malo es que .... un cuarto piso y no
.... ascensor."

5 **Piensa** en tu casa ideal y escribe sobre ella.

Mi casa ideal es...

....
....
....
....
....
....
....
....
....

6 **Añade** las vocales necesarias y escribe las palabras (están todas en la actividad 8 del libro del alumno).

1. Ntr .... *Entre* ....
2. zqrd ....
3. dtrs ....

4. dbj ....
5. n ....
6. dlnt ....

7. ncm ....
8. drch ....

7 **a** **Mira** este dibujo de la familia Paredes en el campo. Luego lee las frases y señala si son verdaderas o falsas.

	V	F
1. La madre está entre el padre y el abuelo.	☐	☐
2. El perro y el niño están a la derecha del árbol.	☐	☐
3. La abuela está detrás del abuelo.	☐	☐
4. El niño está al lado del árbol.	☐	☐
5. El perro está debajo del periódico.	☐	☐
6. La niña está a la izquierda del balón.	☐	☐

b **Sustituye** las tres frases que son falsas por otras tres verdaderas.

....
....
....

8 **Busca** las cinco diferencias y escríbelas.

1. *El niño está al lado del sofá*
2. ....
3. ....
4. ....
5. ....

1. *El niño está al lado de la mesa*
2. ....
3. ....
4. ....
5. ....

9 **Escucha** y haz las preguntas correspondientes.

1. Calefacción.
   ¿Tiene calefacción tu piso?
2. Aire acondicionado.
3. Teléfono.
4. Ascensor.
5. Terraza.

10 **Escucha** y haz las frases correspondientes.

1. Bolso/al lado/sofá.
   El bolso está al lado del sofá.
2. Gafas/encima/televisión.
3. Teléfono/izquierda/puerta.
4. Llaves/en/bolso.
5. Sello/debajo/sobres.
6. Periódico/en/suelo.

Descubre España y América Latina

11 **a** **Observa** el gráfico y subraya la opción apropiada.

LOS HOGARES DE LA UNIÓN EUROPEA

	Nº DE PERSONAS POR CASA	PORCENTAJE DE CASAS HABITADAS POR UNA PAREJA CON HIJOS	PORCENTAJE DE CASAS HABITADAS POR UNA PAREJA SIN HIJOS	PORCENTAJE DE CASAS CON UNA SOLA PERSONA
ALEMANIA	2,28	31,1	27,9	32,4
AUSTRIA	2,65	30,5	22,7	29,0
BÉLGICA	2,55	37,7	24,9	26,3
DINAMARCA	2,18	28,5	28,6	36,3
ESPAÑA	3,16	48,8	18,00	13,4
FRANCIA	2,48	35,8	25,2	28,7
GRECIA	2,80	41,3	23,00	19,3
IRLANDA	3,23	47,2	14,3	19,4
ITALIA	2,84	45,4	19,4	20,7
LUXEMBURGO	2,64	38,6	23,4	24,2
PAÍSES BAJOS	2,37	33,7	29,5	30,8
PORTUGAL	3,03	45,3	21,00	12,7
REINO UNIDO	2,50	33,4	26,9	26,4
MEDIA UE	2,57	38,2	23,4	26,3

Fuente: *El País*

1. En una casa española viven **más/menos** personas que en una casa de la Unión Europea (media).
2. En España hay **muchas/pocas** casas habitadas por una pareja que tiene hijos.
3. El porcentaje de parejas españolas sin hijos es uno de los más **altos/bajos** de la Unión Europea.
4. El porcentaje de españoles que viven solos es **superior/inferior** a la media europea.

b **Observa** este otro gráfico y responde a las preguntas.

PROPIEDAD DE LA VIVIENDA

PROPIA		DE ALQUILER	
Media UE	64,2	Media UE	35,8
España (Máximo UE)	85,9	Alemania (Máximo UE)	54,4
Alemania (Mínimo UE)	45,6	España (Mínimo UE)	14,1

1. ¿En qué país de la UE hay un porcentaje más alto de personas que viven en su propia casa?
....

2. ¿Y en una casa de alquiler? ....

1 Añade las consonantes necesarias para formar nombres de lugares públicos.

1. __ u __ eo
2. __ a __ __ a __ ia
3. e __ __ a __ ió __ e __ e __ __ o
4. a __ a __ __ a __ ie __ __ o
5. __ a __ a __ a __ e au __ o __ ú __
6. __ a __ é
7. e __ __ a __ __ o
8. __ i __ e

....
....
....
....
....
....
....

2 Completa con "hay" o "está".

1. — ¿La calle Olivar .... por aquí?
   • Sí, es la segunda a la derecha.

2. — Oiga, perdone, ¿ ...... un estanco por aquí cerca?
   • Sí, ... uno al final de esta calle, a la izquierda.

3. — Perdona, ¿sabes dónde .... el cine Avenida?
   • Sí, mira, detrás de ese supermercado.

4. — ¿Sabes si .... una farmacia por aquí cerca?
   • Sí, en esta misma calle, a unos cinco minutos.

5. — Oye, perdona, el Museo Románico .... cerca de aquí, ¿verdad?
   • Sí, en la calle siguiente.

6. — Oiga, perdone, ¿sabe dónde .... la plaza de la Cebada?
   • Lo siento, pero no soy de aquí.

3 Completa las frases con "el", "la", "un", "uno" o "una".

1. ¿Calle de Atocha, por favor?

   ¿La calle de Atocha, por favor?
   ....

2. — ¿Sabes dónde hay estanco?
   • Sí, mira, hay enfrente de ese quiosco.

   — ....
   • ....

3. Banco Exterior está por aquí, ¿verdad?
   ....

4. — Oye, perdona, ¿sabes dónde hay parada de autobús?
   • Sí, en la siguiente calle hay.

   — ....
   • ....

5. ¿Plaza Real está por aquí?
   ....

6. Perdone, ¿sabe dónde está teatro Romea?
   ....

7. Perdona, ¿café Central está por aquí?
   ....

8. — Oiga, perdone, ¿hay aparcamiento por aquí cerca?
   • Sí, hay en esta misma calle, un poco más adelante.

   — ....
   • ....

4 ¿"Tú" o "usted"?

a Lee estas frases y escribe "tú" o "usted".

1. Cruce la plaza de los Claveles.   *Usted*
2. Sigue todo recto.   ....
3. Coja la primera a la derecha.   ....
4. Oye, perdona, ¿el paseo Rosales está por aquí?   ....
5. Gire la segunda a la izquierda.   ....
6. ¿Sabe dónde hay una cabina de teléfono?   ....

b **Completa** las dos columnas con las instrucciones que faltan.

tú	usted
....	Cruce la plaza de los Claveles.
Sigue todo recto.	....
....	Coja la primera a la derecha.
Oye, perdona, ¿el paseo Rosales está por aquí?	....
....	Gire la segunda a la izquierda.
....	¿Sabe dónde hay una cabina de teléfono?

5 **Mira** el plano y escribe las instrucciones para llegar a los sitios por los que preguntan.

Biblioteca

Oficina de correos

1. — Perdona, ¿sabes dónde está la biblioteca municipal?

• ....

....

2. — Oiga, perdone, ¿sabe si hay una oficina de Correos por aquí cerca?

• ....

....

6 **¿Puedes** formar seis horas con los números 1, 5 y 3? Escríbelas.

1.53	Las dos menos siete minutos.		....
	....		....
			....

7 **a** **Relaciona** los diálogos con los dibujos.

— Perdona, ¿tienes hora?
• Sí, son las cuatro y diez.
— Gracias. ☐

— Perdone, ¿tiene hora?
• No, no llevo reloj. Lo siento. ☐

— ¿Qué hora es?
• Las doce y media.
— ¡Qué tarde! ☐

 b **Ahora** escucha y comprueba.

8 a ¿VERDADERO O FALSO? Señálalo.

	V	F
1. Una semana tiene siete días.	☐	☐
2. Hoy es martes.	☐	☐
3. Mañana es jueves.	☐	☐
4. Una hora tiene sesenta segundos.	☐	☐
5. Un día tiene mil cuatrocientos cuarenta minutos.	☐	☐
6. Una semana tiene ciento sesenta y ocho horas.	☐	☐
7. El miércoles es un día del fin de semana.	☐	☐

b Sustituye las frases que son falsas por otras verdaderas.

- ....
- ....
- ....
- ....

- ....
- ....
- ....

9 Escucha y haz la pregunta correspondiente.

1. Un supermercado.
   Oiga, perdone, ¿hay un supermercado por aquí cerca?
2. La avenida de América
3. El parque de la Ciudadela.
4. Un hotel.
5. Un restaurante.

6. El Museo del Prado.
7. El Banco Hispanoamericano.
8. Un cine.
9. El Teatro de la Comedia.
10. Una farmacia.

10 Escucha y haz la pregunta correspondiente.

1. Abrir / los supermercados.
   ¿A qué hora abren los supermercados?
2. Cerrar / los bancos.
3. Abrir / las tiendas.
4. Cerrar / los grandes almacenes.
5. Abrir / las oficinas de correos.
6. Cerrar / los restaurantes.

11 Busca en la lección 9 del libro del alumno las palabras y expresiones más útiles y escríbelas.

....
....
....
....
....
....

Descubre España y América Latina

12 a Lee el anuncio y el horario de este restaurante, y completa las frases.

Abierto de lunes a domingo
13:00 - 16:00 h
21:00 - 24:00 h

LA CABAÑA
PARRILLA ARGENTINA

PARA COMER EN MADRID IGUAL QUE EN BUENOS AIRES

Ventura de la Vega, 10 — 6-D1 — Parking concertado Pza. Cortes (2 hs.)
28014 MADRID — TLE. 91 420 17 41 - 420 17 96

La Cabaña es un .... de cocina argentina. Está abierto todos los .... de la semana. Por la noche abre a las 9 y .... a las 12. Está muy .... del Congreso de los Diputados. Si vas a ese restaurante tienes dos horas de .... gratuito.

b Imagínate que estás en la plaza de las Cortes y una persona te pregunta por ese restaurante. Escribe las instrucciones que le das.

....
....
....
....

SOPA DE LETRAS ▮▮▮▮▮▮

1 **Busca** siete palabras relacionadas con el tiempo libre.

S	R	O	L	E	E	R	P	Y
M	A	Q	E	S	G	Y	A	L
E	F	L	B	Ñ	U	O	M	X
A	V	U	I	C	A	P	U	F
T	E	A	T	R	O	H	S	O
E	K	E	I	B	N	V	I	Q
N	U	X	G	C	O	J	C	U
I	T	O	B	A	I	L	A	R
S	H	Ñ	E	P	C	I	N	E

2 **¿"Gusta"** o "gustan"?

1. ¿Te .... tu trabajo?
2. ¿Te .... salir los domingos por la tarde?
3. ¿Te .... las novelas policíacas?
4. ¿Te .... esta ciudad?
5. ¿Te .... jugar al tenis?
6. ¿Te .... las películas de ciencia-ficción?
7. ¿Te .... los coches?
8. ¿Te .... bailar salsa?
9. ¿Te .... las clases de español?
10. ¿Qué tipo de música te ....?
11. ¿Te .... trabajar con música?

3 **Usa** la información de las fichas y completa los diálogos.

NOMBRE: Óscar
LE GUSTA: El rock, ver la televisión, el cine, el tenis.
NO LE GUSTA: Leer, el teatro.

NOMBRE: Marta
LE GUSTA: Leer, el cine, el rock.
NO LE GUSTA: Ver la televisión, el teatro, el tenis.

NOMBRE: Rosa
LE GUSTA: Leer, el cine, el teatro.
NO LE GUSTA: El rock, el tenis, ver la televisión.

Marta: ¿Te gusta ver la televisión?
Óscar: Sí, ¿y a ti?
Marta: A mí no.

Rosa: ¿Te gusta el cine?
Marta: ....
Rosa: ....

Rosa: ¿Te gusta leer?
Óscar: ....
Rosa: ....

Marta: ¿Te gusta el tenis?
Rosa: ....
Marta: ....

Óscar: ¿Te gusta el rock?
Rosa: ....
Óscar: ....

Óscar: ¿Te gusta el teatro?
Marta: ....
Óscar: ....

4 **Ordena** estas palabras para formar las afirmaciones o las preguntas correspondientes.

1. ¿al jugar gusta tenis Te?
   ¿Te gusta jugar al tenis?

2. nada nos esquiar No gusta.
   ....

3. ¿la pop Os música gusta?
   ....

4. nos A los encantan gatos nosotros.
   ....

5. me no el A rock mí nada gusta.
   ....

6. padres bailar mis encanta les A.
   ....

7. ¿clásica gusta Le música la?
   ....

8. gusta mi televisión le abuelo mucho A la.
   ....

5 **Piensa** en algunos familiares o conocidos que tienen gustos diferentes a los tuyos y escribe sobre esos gustos.

A mi primo Paco le gusta mucho la televisión pero a mí no me gusta nada.
....
....
....
....

6 **a** **Lee** este anuncio.

76

los de
asa
colinas
el sol
se en
), 999

los-

AGENCIAS MATRIMONIALES

Chica de 18 años desea mantener correspondencia con chicos y chicas de su edad. Me gustan los deportes, la música y el cine. Escribir a: Montse Bravo, Apartado de Correos 827, Alicante (España).

COBRO A DOMICILIO

P

Oliván
oficiala
☎463

Ase[..]or
[..]ros, co
☎577 1

b **Ahora** escribe una carta a Montse. Háblale de ti y de:

- lo que haces.
- tu familia.
- donde vives.
- lo que te gusta hacer.

....
....
....
....
....
....

7 **Escucha** y haz la pregunta correspondiente.

1. El cine / el teatro.
   ¿Qué te gusta más, el cine o el teatro?
2. El español / el inglés.
3. Leer periódicos / revistas.
4. El tenis / el esquí.
5. Escuchar cintas de música / de español.
6. Leer / ver la televisión.

8 **Escucha** y haz las frases correspondientes.

1. A Pepe / (gustar) mucho / las películas francesas.
   A Pepe le gustan mucho las películas francesas.
2. A nosotros / no (gustar) nada / los ordenadores.
3. A Irene / (encantar) / las discotecas.
4. A Susana y a Enrique / no (gustar) / el flamenco.
5. A Pilar / no (gustar) nada / las novelas policíacas.
6. A Pedro y a Juliana / (encantar) / ir a su pueblo.

Descubre España y América Latina

9 **a** **Observa** estos grabados del pintor español Francisco de Goya (1746-1828) y expresa tus gustos.

1

2

3

....
....

....
....

....
....

4

5

....
....

....
....

b **¿Qué** otros pintores españoles o latinoamericanos te gustan? Escríbelo.

....

10 **Piensa** en otras actividades de tiempo libre que te gustan y no han aparecido en la lección. Averigua cómo se dicen en español y escribe frases con ellas.

Me gusta mucho...

....
....
....

1 Añade las vocales necesarias y escribe los infinitivos de diez verbos.

1. cmr ....
2. vlvr ....
3. mpzr ....
4. r ....
5. lvntrs ....

6. dsynr ....
7. cnr ....
8. cstrs ....
9. trmnr ....
10. trbjr ....

2 Piensa en el presente de los verbos de la actividad anterior y completa las dos columnas.

regulares	irregulares
Comer	Volver
....	....
....	....
....	....
....	....
	....

3 A todas estas frases les falta una palabra. Escríbelas correctamente.

1. ¿A qué hora levantas?

....

2. ¿Desayunas casa?

....

3. ¿Trabajas cerca casa?

....

4. ¿A qué hora empiezas trabajar?

....

5. ¿Trabajas la tarde?

....

6. ¿Acuestas muy tarde?

....

7. ¿A qué hora terminas trabajar?

....

4 Completa este texto.

Elisa es enfermera, ... en un hospital. .... levanta a las siete menos cuarto y empieza .... trabajar a las ocho. Todos los días .... a la una y media en el restaurante del hospital con algunos compañeros de trabajo. .... de trabajar a las cinco en punto y después .... a clase de inglés. Luego .... a casa y .... con su familia. Normalmente se .... bastante pronto, sobre las once.

5 Lee las respuestas de Elisa y completa la entrevista.

— Tú: *¿A qué te dedicas?* ....

• Elisa: Trabajo en un hospital, soy enfermera.

— Tú: ....

• Elisa: A las 6.45 de la mañana.

— Tú: ....

• Elisa: A las 8 de la mañana.

— Tú: ....

• Elisa: En el restaurante del hospital.

— Tú: ....

• Elisa: A las 5 de la tarde.

— Tú: ....

• Elisa: Voy a clase de inglés.

— Tú: ....

• Elisa: En casa.

— Tú: ....

• Elisa: No, sobre las 11 de la noche.

6 Escucha y haz la pregunta correspondiente.

1. Hora / empezar a trabajar.
   ¿A qué hora empiezas a trabajar?
   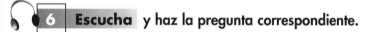
2. Hora / levantarse.
3. Hora / cenar.

4. Hora / terminar de trabajar.
5. Hora / acostarse.
6. Hora / comer.

DICTADO ▐▐▐▐▐

7 Primero escucha cada frase sin escribir. Luego, vuelve a escuchar las frases y escríbelas.

1. (3 palabras) .... *¿Comes en casa?* ....
   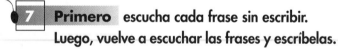
2. (7 palabras) ....
   ....
3. (4 palabras) ....
4. (6 palabras) ....
   ....
5. (4 palabras) ....
6. (5 palabras) ....

8 Busca en la lección 11 del libro del alumno las palabras y expresiones más difíciles y escríbelas.

....

....

....

....

....

....

....

....

Descubre España y América Latina

9 **a** **Lee** el artículo y responde a las preguntas.

EMPIEZA EL DÍA EN MADRID

Madrid es una ciudad que tiene mucha vida nocturna. Hay madrileños que se acuestan muy tarde, sobre todo los fines de semana, pero la mayoría se levanta pronto. El 31,7% de los trabajadores sale de sus casas entre las seis y las ocho. De ocho a nueve lo hace el 40%; y de nueve a diez, un 28,2%. El silencio de la ciudad empieza a desaparecer, con el tráfico, entre las cinco y las seis de la mañana. A las ocho ya hay muchos coches en la calle y el ruido es muy fuerte. Durante una hora, hasta las nueve, se produce el mayor movimiento de población.

Los madrileños emplean una media de treinta minutos para ir al trabajo. Y los más privilegiados son los que trabajan dentro de la ciudad (un 72%).

Fuente: *El País*

1. ¿A qué hora (de la mañana) hay más gente en la calle?

....

2. ¿Cuánto tiempo tardan los madrileños en llegar al trabajo?

....

3. ¿Qué porcentaje de madrileños trabaja fuera de su ciudad?

....

b **Piensa** en tu pueblo o tu ciudad y escribe sobre:

- La hora a la que sale más gente de casa (por la mañana).
- El tiempo que emplea para ir al trabajo.

....
....
....
....

1 Forma doce expresiones con una palabra de cada columna y escríbelas.

• Hacer	la	campo
• Escuchar	al	tenis
• Jugar	de	compras
• Ver	ø	televisión
• Comer		copas
• Ir		limpieza
		fútbol
		compra
		deporte
		cine
		radio
		fuera

1. *Hacer la limpieza.*
2. ....
3. ....
4. ....
5. ....
6. ....
7. ....
8. ....
9. ....
10. ....
11. ....
12. ....

2 Agrupa estas palabras y expresiones en la columna correspondiente.

• normalmente • desayunar • a menudo • a veces • pasear • esquiar • viernes
• ver exposiciones • ir a conciertos • siempre • miércoles • lunes • cenar • domingo
• nunca • acostarse • ir al teatro • jueves • levantarse • comer

actividades de tiempo libre	días de la semana	Cosas que hacemos todos los días	adverbios de frecuencia
Pasear	....	....	....
....	....	....	....
....	....	....	....
....	....	....	....
....	....	....	....

3

a Completa el texto con las palabras de la lista. Puedes usar el diccionario.

• música • salimos • vídeo
• exposición • tomamos • restaurante

b Ahora busca en el texto las palabras o expresiones que significan:

Beber: ....
Pasear: ....
Aperitivo: ....

Pili y Manolo
maestra y abogado
26 y 30 años

"Pues el domingo es un día muy tranquilo. Normalmente nos levantamos bastante tarde. Después salimos a comprar el periódico y nos damos una vuelta o vamos a ver alguna .... Siempre .... el vermú fuera y luego comemos en algún .... o con nuestras familias. Por la tarde siempre nos quedamos en casa y escuchamos .... o vemos alguna película en el .... o en la televisión. A veces vienen algunos amigos nuestros a pasar la tarde con nosotros, pero no .... nunca, no nos gusta nada el ambiente de los domingos por la tarde."

4 Escribe siete cosas que hacen Pili y Manolo los domingos.

1. *Se levantan bastante tarde.*
2. ....
3. ....
4. ....
5. ....
6. ....
7. ....

5 Escribe correctamente las frases con la preposición adecuada: "a","en","de" o "por".

1. Tú vas muchos conciertos, ¿verdad?
   Tú vas a muchos conciertos, ¿verdad?

2. ¿Qué haces los sábados la tarde?
   ....

3. ¿A qué hora vuelves casa normalmente?
   ....

4. Tú te quedas Madrid muchos fines de semana, ¿no?
   ....

5. Mi hermana pequeña va mucho bailar.
   ....

6. Normalmente salgo casa bastante pronto.
   ....

7. ¡Mi marido se levanta a las seis la mañana todos los días!
   ....

6 Escribe correctamente las frases añadiendo las palabras necesarias.

1. ¿Acostarse (vosotros) / muy tarde / domingos?
   ¿Os acostáis muy tarde los domingos?

2. Sábados / levantarse (nosotros) / bastante tarde.
   ....

3. ¿Ver (vosotros) / mucho / televisión?
   ....

4. ¿Gustar (a vosotros) / montar / bicicleta?
   ....

5. ¿Cuándo / hacer (vosotros) / compra?
   ....

6. Mis padres / levantarse / bastante pronto.
   ....

7. ¿Trabajar (ustedes) / fines / semana?
   ....

8. Ana y Pepe / hacer / mucho deporte / fines / semana.
   ....

9. ¿Gustar (a ustedes) / esquiar?
   ....

10. ¿Salir (vosotros) / mucho?
    ....

7 Escucha y haz la frase correspondiente.

1. Todos los sábados / cenar fuera.
   Todos los sábados cenamos fuera.
2. A veces / ir al teatro.
3. Todos los domingos / comer en casa.
4. Nunca / ir al cine.
5. Jugar al fútbol / a menudo.
6. Todos los fines de semana / hacer deporte.
7. Nunca / jugar al tenis.
8. Siempre / acostarse tarde.

8 Escribe el presente de los verbos que te parezcan más difíciles.

....
....
....
....
....
....

Descubre España y América Latina

9 **a** **Observa** los resultados de una encuesta realizada en España sobre el fin de semana y los días de fiesta.

Durante los fines de semana y días festivos, ¿qué tres tipos de actividades suele hacer en su tiempo libre? ¿Y cuáles son las tres que desearía hacer?

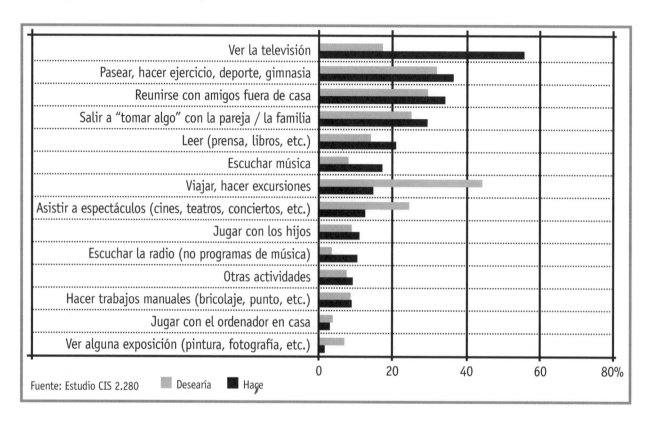

Fuente: Estudio CIS 2.280   ▨ Desearía   ■ Hace

b **Completa** el cuadro.

ACTIVIDAD MÁS PRACTICADA LOS FINES DE SEMANA	
ACTIVIDAD MÁS DESEADA PARA LOS FINES DE SEMANA	

c **Ahora** responde a estas preguntas.

1. ¿Cuál crees que es la actividad más practicada en tu país? ....

2. Y tú, ¿cuál practicas más?
....

3. ¿Y cuál desearías practicar más?
....

10 **Piensa** en las cosas que haces los fines de semana y que no aparecen en la lección 12 del libro del alumno. Escríbelas.

....
....

1 **Busca** el "intruso".

preocupado
cansada
roja
triste
nervioso

sed
frío
miedo
calor
entre

tarde
dedo
cabeza
pie
boca

gripe
resfriado
mano
tos
fiebre

aspirina
masaje
leche
otra
manzanilla

Ordena las iniciales de los "intrusos" y forma el nombre de un medio de transporte. ¿Sabes cuál es?

_ _ _ _ _

2 **Utiliza** "muy" o "mucho" en cada una de las frases.

1. Tu profesora es joven, ¿verdad?
   Tu profesora es muy joven, ¿verdad?

2. ¿Tienes frío?
   ....

3. Hoy estás contenta, ¿no?
   ....

4. ¿Te duele?
   ....

5. A mi padre le gusta el rock.
   ....

6. Pues yo soy de un pueblo pequeño.
   ....

7. Tu hermano es simpático, ¿eh?
   ....

8. ¿Estudias?
   ....

9. Me duele este pie.
   ....

10. Dice que tiene calor y que le duele bastante la cabeza.
    ....

3 **Contesta** a las siguientes preguntas.

1. ¿Qué te pasa? (OÍDOS)   .... *Me duelen los oídos.* ....
2. ¿Qué te pasa? (ESTÓMAGO)   ....
3. ¿Qué te pasa? (RESFRIADO)   ....
4. ¿Qué te pasa? (FIEBRE)   ....
5. ¿Qué te pasa? (OJOS)   ....
6. ¿Qué te pasa? (GRIPE)   ....

4 **Utiliza** una frase de cada columna y construye cuatro diálogos.

—¡Tengo treinta y ocho fiebre!
—Tengo un dolor horrible en la espalda...
—Me duelen muchísimo las muelas.
—Estoy resfriado.

• ¿Y por qué no te vas a la cama?
• ¿Quieres un calmante?
• ¿Te doy un masaje?
• ¿Por qué no te tomas un vaso de leche con coñac?

—Es que no me gusta el coñac.
—Sí, si sigo así...
—¡Ay, sí!, por favor.
—¿Un calmante? Es que prefiero no tomar nada...

5 **Completa** estos diálogos con las formas adecuadas de los verbos "venir", "empezar", "tener", "querer", "preferir".

1. — ¿Cómo .... (vosotros) a clase?
   • Andando.

2. — ¿A qué hora .... (tú) a trabajar?
   • A las siete de la mañana.

3. — ¿Vosotros también .... un mes de vacaciones?
   • No, ... (nosotros) dos.

4. — ¿ .... (usted) una aspirina?
   • Es que .... (yo) no tomar nada.

6 **a** **Busca** en este anuncio las palabras o expresiones que significan:

Hace Deporte

Pronto

Al día

SE LEVANTA TEMPRANO.

SIGUE UNA DIETA EQUILIBRADA.

REALIZA EJERCICIO TODOS LOS DIAS.

PASA MUCHO TIEMPO AL AIRE LIBRE.

RESPIRA AIRE PURO.

NO FUMA NI BEBE.

NO SALE POR LAS NOCHES.

DUERME OCHO HORAS DIARIAS.

b **¿Hay** alguna otra palabra que no entiendes? Averigua cómo se dice en tu lengua y escríbelo en el recuadro.

c **Vuelve** a leer el anuncio. ¿Qué cosas haces tú también? ¿Cuáles no? Escríbelo; puedes empezar así las frases.

| • Yo también... | • Yo no... | • Yo tampoco... | • Yo sí... |

Yo también me levanto temprano.

7 **a** **Lee** este chiste. Hay dos palabras en inglés. ¿Sabes cuáles son?

b **Averigua** el significado del verbo "mitigar" para poder entender el chiste.

c **¿Entiendes** ahora el chiste? Intenta explicarlo.

8 **Escucha** y haz las frases correspondientes.

1. Hambre.
   ¡Qué hambre tengo!

2. Cansada.
   ¡Qué cansada estoy!

3. Frío.
   ....

4. Sed.
   ....

5. Contenta.
   ....

6. Nervioso.
   ....

7. Calor.
   ....

9 **Escucha** y haz las frases correspondientes.

1. Mucho / el estómago.
   Me duele mucho el estómago.

2. Un poco / esta mano.
   ....

3. Un poco / las piernas.
   ....

4. Mucho / la cabeza.
   ....

5. Muchísimo / este brazo.
   ....

6. Un poco / los ojos.
   ....

7. Muchísimo / los oídos.
   ....

10 **Piensa** en tres enfermedades que no sabes cómo se dicen en español. Averigua cómo se dicen y después escríbelas.

• ....

• ....

• ....

Descubre España y América Latina

11 **a** **Lee** el artículo y expresa por qué se mencionan las cifras del recuadro.

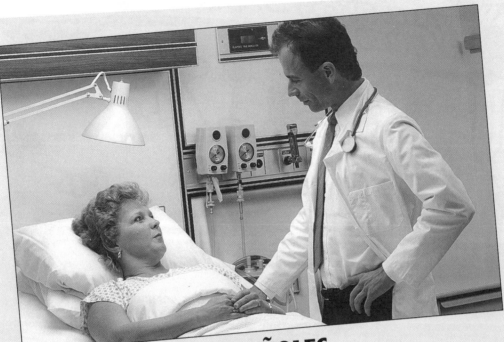

LA SALUD DE LOS ESPAÑOLES

Existe una relación directa entre el nivel económico y la situación sanitaria. Así, las personas ricas pueden pagar más servicios médicos. En España, las encuestas muestran que aproximadamente un 25% de los más ricos está satisfecho con su salud, justo el doble que los pobres (el 12, 5%). Con respecto a las mujeres, generalmente afirman que su salud no es tan buena como la de los hombres, pero realmente viven más años que ellos.

Los adultos españoles son de los que menos van al médico general en la Unión Europea. Lo hacen el 61,6%, frente a la media europea del 73,7%. El porcentaje de españoles que visitan al especialista supera el 40%, un porcentaje similar a la media europea.

Fuente: Instituto Nacional de Estadística

25%	*El 25% de los españoles más ricos…*
12,5%	
61,6%	
73,7%	
40%	

b **Responde** a estas preguntas.

1. ¿Estás satisfecho con tu salud? ....

2. ¿Vas a menudo al médico de medicina general? ....

3. ¿Y al especialista? ....

1

A todas estas frases, que normalmente decimos por teléfono, les sobra una palabra. Escríbelas correctamente.

1. Sí, yo soy yo.

....

2. Un momento, luego ahora se pone.

....

3. ¿De parte de quién está?

....

4. En este momento no puede ahora ponerse.

....

5. No, no es aquí. Se equivoca otro.

....

6. ¿Está quién Rosa?

....

7. No, no está. Volverá antes más tarde.

....

2

Mira la cartelera y completa el cuadro.

GALERÍAS

Horario: todos los días laborables, de 11 a 14 y de 17.30 a 20.30 h., excepto lunes por la mañana. Consultar los posibles cambios de horario. Entrada gratuita.

■ **AELE.** Claudio Coello, 28 (entrada pasaje Puigcerdá, 2). Tel. 575 66 79. **Rinaldo Paluzzi.**

■ **AFINSA.** Lagasca, 18. Tel. 578 04 44. **Keneth Noland.**

■ **AFINSA-ALMIRANTE.** Almirante, 5. Tel. 532 74 74. **Kenneth Noland.**

■ **ALBATROS.** Serrano, 6. Tel. 577 54 12. **Carlos Pascual.**

■ **ALCOLEA.** Claudio Coello, 30. Tel. 435 23 47. **Aguilar Moré.**

■ **ALFAMA.** Serrano, 7. Tel. 576 00 88. **Séptima cita con el dibujo.**

■ **ANGEL ROMERO.** San Pedro, 5. Tel. 429 32 08. **Manuel Rufo.** La aventura de un fotógrafo.

■ **ANSELMO ÁLVAREZ.** Conde de Aranda, 4. Tel. 431 55 95. **Donald Lipski.**

■ **ANSORENA GALERÍA DE ARTE.** Alcalá 54. Tels. 531 63 53, 532 85 15-16. **Refino.**

47 RESTAURANTES

LA TOJA. Siete de Julio, 3. Tel. 266 30 34. **Cocina gallega.** Horario: 13 a 16 y 20 a 24 h. Cierra julio. TC: V., A.E., D. **Precio medio: 4.000 ptas.**

LA TRAINERA. Lagasca, 60. Tel. 576 80 35. **Marisco y pescado.** Horario: 13 a 16 y 20 a 24 h. Cierra domingos y agosto. Aparcacoches. TC: V., M.C., E.C. **Precio medio: 5.000 ptas.**

LA TRAIÑA. Paseo de la Castellana, 166. Tel. 457 20 85. **Cocina andaluza.** Horario: 13 a 16 y 21 a 24 h. Cierra domingos, festivos y agosto. Aparcacoches. TC: V., A.E., D., M.C., E.C. **Precio medio: 4.000 ptas.**

LA TROVATA. Jorge Juan, 29. Teléfono: 578 06 24. **Restaurante italiano.** Abierto todos los días incluidos los domingos. **Precio medio: 2.500-3.000 ptas.**

LA TRUCHA. Núñez de Arce, 6. Tel. 532 08 82. **Cocina española.** Horario: 12.30 a 16 y 19.30 a 24 h. Cierra domingos y julio. No admite tarjetas. **Precio medio: 3.000 ptas.**

LA VACA VERÓNICA. Verónica, 4. Tel. 429 78 27. **Cocina tradicional.** Horario: 14 a 16 y 21 a 24 h. Cierra domingos, sábados al mediodía y agosto. TC: V., A.E., M.C., E.C. **Precio medio: 2.500 ptas.**

LA VILLA. Leizarán, 19 (junto a Serrano). Tels. 563 55 99, 458 74 74. **Cocina vasco-francesa.** Horario: 13.30 a 16 y 21 a 24 h. Cierra domingos, festivos, sábados mañana y agosto. TC: V., A.E. **Precio medio: 3.500 ptas.**

FLAMENCO

Viernes, día 5

■ **GABINETE CALIGARI + AVIATEI.** Ciclo *Música en Las Ventas.* A las 21.30 h. Precio: 1.200 (anticipada: Discoplay) y 1.500 pesetas (taquilla). **Plaza de Toros de Las Ventas.**

■ **ESTRAGOS.** A las 22 h. **Siroco.** San Dimas, 3. Teléfonos: 532 13 57 y 448 58 02.

Sábado, día 6

■ **AFRO-BRASS.** Caliente. A las 22 h. **Siroco.** San Dimas, 3. Teléfonos: 532 13 57 y 448 58 02.

Domingo, día 7

■ **DEVO.** A las 22.30 h. Precios: 1.800 y 2.000 pesetas. **Universal Sur.** Parque Comercial Parquesur de Leganés, Teléfono: 686 57 11.

14 CINE

AMANTES. 1990. España. Director: Vicente Aranda. Intérpretes: Victoria Abril, Jorge Sanz, Maribel Verdú. Paco decide quedarse en Madrid al acabar la mili. Se aloja en casa de Luisa, una joven viuda, y pasa de huésped a amante. Trini, su novia, le espera en el pueblo. Mayores de 18 años. **MULTICINES IDEAL** (Madrugada). Hasta el jueves, día 22: **MINICINES.**

REMANDO AL VIENTO. 1987. España. **Drama.** Director: Gonzalo Suárez. Intérpretes: Hugh Grant, Lizzy McInnerney y José Luis Gómez. El poeta Shelley, su mujer, Lord Byron y el doctor Polidori se reúnen para escribir y disfrutar de la vida. Tolerada **RENOIR-Plaza de España** (Madrugada).

SEMILLA DE CRISANTEMO (Ju Dou). 1990. China. **Drama.** Director: Zhang Yimou. Intérpretes: Gong Li, Li Bao-Tia y Li Wee. Historia de una joven campesina maltratada por su esposo que se enamora de su joven sobrino. **RENOIR-4 Caminos** (v.o.s.).

	Nombre o título	¿Dónde?	¿Cuándo?
1. Una exposición de dibujos.			
2. Un restaurante italiano.			
3. Un concierto de música de origen africano.			
4. Una película china en versión original.			

3 **Piensa** en algunos espectáculos interesantes que hay ahora en la ciudad o el pueblo donde estás. Fíjate en la actividad 6 del libro del alumno y escríbelo.

> En el cine .... ponen ....
> En .... hay un concierto / una exposición de ....
> ....

4 **Completa** las frases con las siguientes palabras poniendo las mayúsculas necesarias.

tengo   acuerdo   es   puedo   quieres   vamos   no

1. —¿..................... venir a dar una vuelta?
   • Vale. De ....

2. —¿ .... al teatro esta noche?
   • Esta noche .... puedo. Es que ....
     que estudiar. Pero si quieres mañana...
   — .... que mañana yo no ....

5 **Ordena** y puntúa estas frases.

1. y vale qué hacer podemos
   ....

2. que me no pronto bien tan va es
   ....

3. perfecto a puerta las entonces once menos cuarto la en quedamos ....
   ....

4. bien ah muy qué a empieza hora ....

6 a **Completa** el diálogo con las frases del ejercicio 5.

— Oye, ¿nos vemos mañana por la noche?
• ....

— Pues mira, hay un concierto de Aurora Beltrán en la Sala Universal...
• ....

— A las once, así que podemos quedar sobre las diez en la puerta.
• ....

— ¿Y a las once menos cuarto?
• ....

b **Escucha** y comprueba.

7 a **Todos** estos verbos son irregulares en presente de indicativo. Divídelos en dos grupos según su irregularidad.

• volver • entender • poder • empezar
• dormir • acostarse • preferir • venir
• acordarse • tener • cerrar • querer

Volver	Entender
....	....
....	....
....	....
....	....
....	....

b **Ahora** escribe las formas verbales correspondientes.

INFINITIVO	PRESENTE DE INDICATIVO		
poder	yo .... *puedo*	nosotros .... *podemos*	
preferir	tú	vosotros	
acordarse	él	ellos	
entender	yo	nosotros	
dormir	tú	vosotros	
empezar	yo	nosotros	
volver	usted	ustedes	
cerrar	ella	ellas	
tener	tú	vosotros	
acostarse	usted	ustedes	
querer	yo	nosotros	

8 **Lee** este **chiste** y describe el carácter del señor. Puedes usar el diccionario.

....
....
....

9 **Escucha** y haz la pregunta correspondiente.

1. Jueves / tarde
   ¿Te va bien el jueves por la tarde?
2. Miércoles / mañana
   ....
3. Mañana / noche
   ....
4. Lunes / mediodía
   ....

5. Hoy / 4 h.
   ....
6. Mañana / 11 h.
   ....
7. Sábado / 12 h.
   ....

Descubre España y América Latina

10 **a** **Traduce** estos títulos de películas españolas y latinoamericanas a tu lengua. Escríbelos en una hoja diferente al cuaderno.

b **Ahora** cierra el cuaderno de ejercicios y tradúcelos al español.

11 **¿Hay** espectáculos españoles o latinoamericanos en tu pueblo o tu ciudad? Escribe los nombres o los títulos de algunos que hayas visto.

- ....
- ....
- ....
- ....
- ....

1 **a** **Relaciona** los dibujos con alguna de estas actividades de tiempo libre.

- quedar (con alguien)
- nadar
- enviar un correo electrónico
- ir a tomar algo
- dar una vuelta
- quedarse en casa
- ver un vídeo
- ir al gimnasio

b **¿Cuáles** de las expresiones anteriores asocias con la idea de salir? ¿Y con la idea de estar en casa? Escríbelo.

Salir: *ir a tomar algo* .... Estar en casa: ....

2 **a** **Lee** las formas verbales que hay en presente y en pretérito indefinido y anota cada una de ellas en la columna correspondiente.

se levantó

terminais

vimos   fuiste

se acuestan

telefoneó

vamos   hice

escribe

quedaste

vuelvo   estoy

abrieron

viene

PRESENTE	PRETÉRITO INDEFINIDO
....	....
....	....
....	....
....	....
....	....
....	....
....	....

b **Pasa** las formas que están en presente a pretérito indefinido en la misma persona gramatical.

termináis → terminasteis

....
....
....

3 **a** **Completa** este diálogo con las formas apropiadas del pretérito indefinido.

— ¿Qué hiciste ayer por la tarde? ¿Saliste?

• Primero hice los deberes y luego (ir, yo) .... a jugar al fútbol. (Volver , yo) .... a casa bastante cansado, cené, (ver, yo) .... un poco la televisión y (acostarse, yo) .... pronto.

— Pues yo (quedar) .... con un amigo a las seis y dimos una vuelta. Luego (tomar, nosotros) .... una copa y (volver, nosotros) .... a casa bastante tarde.

b **¿Hiciste** tú también alguna de esas cosas ayer? Escríbelo.

....
....
....
....

4 **a** **Usa** las pautas para escribir preguntas sobre ayer.

1. Ir a clase ayer.
   ¿Fuiste a clase ayer?
   ....

2. Comer fuera.
   ....

3. Hacer deporte.
   ....

4. Estar con tus amigos por la tarde.
   ....

5. Quedarse en casa por la tarde.
   ....

6. Ver una película.
   ....

7. Acostarse tarde.
   ....

b **Relaciona** las preguntas con estas respuestas.

A. ....*6*.... Sí, en la televisión.
B. .... No, en casa.
C. .... Sí, y me gustó mucho la clase.
D. .... Sí, estuve jugando al fútbol.

E. .... Sí, a las doce de la noche.
F. .... No, es que ellos no salieron.
G. .... Sí, estuve en casa toda la tarde.

c **Ahora** escucha y comprueba.

d **Di, en** voz alta, cada pregunta y su respuesta, y compara tu pronunciación y entonación con la del audio. Repítelas si lo necesitas.

Descubre España y América Latina

5 **a** **Lee** estos textos en los que varias personas dicen lo que hicieron ayer.

1 "Yo ayer me levanté a las 12 h., me tomé un café y luego fui al mercado. Hice la comida y comí a las 16.30 h. Por la tarde estuve en el curso de fotografía al que voy tres días por semana y luego me fui al trabajo. Estuve allí desde las 8 de la tarde hasta las 3 de la mañana y serví muchas bebidas. Como veis, tengo un horario un poco especial, ¿verdad?"

2 "Ayer me levanté a las 8 h. y empecé a trabajar a las 9.30 h., como todos los días. Volví a casa a las 14 h., comí, descansé un poquito y regresé al trabajo a las 16.30 h. Cuando cerramos estaba muy cansado: estamos en época de rebajas, vino mucha gente y vendimos mucho. Después de cenar leí un poco y me acosté pronto."

3 "Pues yo estuve en mi trabajo de 8.30 a 14.30 h. y la verdad es que la mañana se me pasó muy rápidamente. Luego comí en un restaurante con una compañera y volví a casa sobre las 17 h. Preparé unos textos y un examen para hoy, estuve trabajando un rato con el ordenador y después fui a hacer la compra."

b **Ahora** relaciónalos con estos dibujos.

c **Escribe** algunas informaciones que te han ayudado a elegir el dibujo adecuado.

Texto nº 1: _Sirvió muchas bebidas._

Texto nº 2: ....

Texto nº 3: ....

6 **a** **Lee** la actividad 1 del libro del alumno y después cierra el libro.

b **Anota** lo que hicieron Rosa y su amiga, y Gloria y su amigo.

Ayer por la tarde Rosa y su amiga ....
....

7 **Escribe** de manera detallada lo que hiciste ayer por la mañana, por la tarde y por la noche. Recuerda que puedes utilizar *primero, luego, después...*

....
....
....
....
....

soluciones

1

—Me llamo Luis / Marta. ¿Y tú?
—Yo me llamo Marta / Luis.
—¡Hola!
—¡Hola!

2

• 08:15-Buenos días.
• 23:05-Buenas noches.
• 15:20-Buenas tardes.
• 11:00-Buenos días.

3

• 1 letra que rima con **a**: k.
• 7 letras que riman con **b**: c, ch, d, e, g, p, t.
• 7 letras que riman con **f**: l, ll, m, n, ñ, r, s.
• 1 letra que rima con **u**: q.

4

• B-a-r.
• E-s-p-a-ñ-o-l.
• H-o-l-a.

• N-o.
• N-o-m-b-r-e.
• M-a-ñ-a-n-a.

6

A-lee.
B-pregunta.
C-escribe.
D-escucha.
E-marca.
F-mira.
G-habla con tu compañero.

7

1. cine.
2. teléfono.
3. aeropuerto.
4. chocolate.
5. restaurante.
6. adiós.
7. pasaporte.

1 a

```
B (A R G E N T I N O)
(J A P O N E S) T U R
H X I R U F X A G M
O D F O J R Y L R E
L (A L E M A N) I O X
A M O V I N E A P I
N O (S U E C A) N E C
D (I N G L E S) A F A
E H Q Y H S O C U N
S J O (S U I Z A) D A
```

b

MASCULINO	FEMENINO
francés	francesa
holandés	holandesa
italiano	italiana
mexicano	mexicana
argentino	argentina
japonés	japonesa
alemán	alemana
sueco	sueca
inglés	inglesa
suizo	suiza

2

—¿Cómo se dice "good bye" en español?
—"Adiós".
—¿Cómo se escribe?
—A – d – i ...
—Más despacio, por favor.
—A – d – i – ó – s.
—¿Está bien así?
—A ver... Sí, está bien.

3 a

• ¿Cómo te llamas?
• ¿Dé dónde eres?
• ¿Qué lenguas hablas?

4

5

Intrusos: francés, dieciséis, italiano.

6 POSIBLES RESPUESTAS:

1. Macarroni.   - Italia.
2. Vodka.   - Rusia.
3. Kárate.   - Japón.
4. Samba.   - Brasil.
5. Jazz.   - Estados Unidos
6. Tequila.   - México.
7. Rock and Roll.   - Estados Unidos.
8. Club.   - Inglaterra.
9. Reggae.   - Jamaica.
10. Champagne.   - Francia.

DESCUBRE ESPAÑA Y AMÉRICA LATINA

8

1. Una cerveza, por favor.
2. Más alto, por favor.
3. ¿Cómo se dice esto en español?
4. Más despacio, por favor.
5. Perdón.
6. No sé.

---

lección **3**

1

A-médico.
B-secretaria.
C-dependienta.
D-camarero.
E-profesor.
F-ingeniero.

p	e	r	i	o	d	i	s	t	a
1	2	3	4	5	6	7	8	9	10

2

quince   sesenta y siete
cuarenta y nueve   doce
trece

3

María Ruiz
C/Alcalá nº 65 - 4º A
28001 Madrid

4

1. ¿Cómo te llamas?
2. ¿De dónde eres?
3. ¿Qué haces?
4. ¿Dónde vives?
5. ¿Qué número de teléfono tienes?

5 POSIBLES FRASES:

• Soy periodista.
• Soy de Bolivia.
• Trabaja en Bolivia.
• Trabaja en un restaurante.
• Trabaja en la calle Churruca.
• Hablo inglés y un poco de francés.
• Estudia Filosofía.
• Vive en Bolivia.
• Vive en la calle Churruca.

DESCUBRE ESPAÑA y AMÉRICA LATINA

9 **a**

Emilio Gallego es periodista. Trabaja en un periódico de Salamanca. Vive en la calle Canales. Tiene teléfono fijo, móvil, fax y su correo electrónico es egallego@heraldo.es

b POSIBLES FRASES:

Pedro Fernández Ríos es arquitecto. Vive en la avenida Apoquindo, 162, en Santiago de Chile. Tiene teléfono, fax y el correo electrónico es pfernand@entelchile.net

soluciones

1 b

Diálogo uno:

—Buenos días. ¿Qué tal está, señor Pérez?
—Muy bien, gracias. ¿Y usted?
—Bien también. Mire, le presento a la señora Gómez. El señor Sáez.
—Encantado.
—Mucho gusto.

Diálogo dos:

—¡Hola, Gloria! ¿Qué tal?
—Muy bien. Mira, este es Julio, un compañero de clase. Y esta, Cristina, una amiga.
—¡Hola!
—¡Hola!

2

1. Ø
2. La
3. Ø
4. el
5. la
6. el
7. Ø

3 POSIBLES FRASES:

• ¿La señora Torres, por favor?
• Adiós, señor Montes.
• Buenos días, señor Sánchez.
• ¿La señorita Montero, por favor?
• Mire, le presento a la señora Álvarez. El señor Ortiz.
• Buenas tardes, señor Barrera.
• Mire, le presento al señor Sagasta. La señora Hermosilla.

4 a

1. tú; 2. usted; 3. tú; 4. usted; 5. usted; 6. tú; 7. tú.

4 b

Tú:	Usted:
• ¿Qué tal estás?	• ¿Qué tal está?
• ¿Eres estudiante?	• ¿Es estudiante?
• ¿Qué estudias?	• ¿Qué estudia?
• Eres holandés, ¿verdad?	• Es holandés, ¿verdad?
• ¿Dónde trabajas?	• ¿Dónde trabaja?
• ¿Qué lenguas hablas?	• ¿Qué lenguas habla?
• Vives en Bilbao, ¿no?	• Vive en Bilbao, ¿no?

5

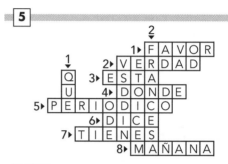

7 a

1. Es italiano.
2. ¿Es profesor de Física?
3. ¿Vive en Argentina?
4. ¿Estudia Medicina?
5. Trabaja en un restaurante.

1

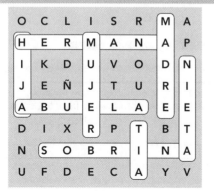

2

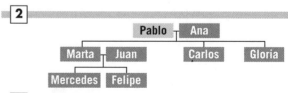

4 POSIBLES FRASES:

1. Rodolfo es médico.
2. Es chileno.
3. Tiene treinta y ocho años.
4. Está casado.
5. Tiene cuatro hijos.
6. Es alto y moreno.

5

1. qué.
2. Cuántos
3. Dónde.
4. Quién.
5. Cómo.
6. Cuántos.
7. qué.

A-2; B-3; C-7; D-6; E-4; F-1; G-5

6 a

Singular: hospital, dependiente, japonés, tía, bar, delgado, joven, madre, francés.
Plural: altas, calles, alemanas, restaurantes, hijos.

b

Singular: hospital, alta, dependiente, japonés, tía, bar, calle, delgado, alemana, joven, restaurante, hijo, madre, francés.

Plural: hospitales, altas, dependientes, japoneses, tías, bares, calles, delgados, alemanas, jóvenes, restaurantes, hijos, madres, franceses.

7

1. Tiene.
2. Están.
3. Son, tienen.
4. Viven.
5. Habla.
6. Tenéis.
7. Trabajan, están.

8

A	T	I	C	A³
P	J¹	O	V	L
M			E	T
I	S²	E	N	O
O	I	R	E⁴	S

10

1. ¿Quién es este?
2. Un compañero de trabajo.
3. ¿Cuántos sobrinos tienes?
4. Uno de cuatro años.
5. ¿A qué se dedica tu hermano?
6. Trabaja en un restaurante.

1

2

- cuatro mil quinientos sesenta y siete
- cinco mil seiscientos setenta y ocho
- siete mil ochocientos noventa
- seis mil setecientos ochenta y nueve
- ocho mil novecientos cincuenta

4 a

1. ¿Cuál es la moneda de Colombia?
2. ¿Qué desea?
3. ¿Tienen mapas?
4. ¿Puedo ver ese verde?
5. ¿Cuánto cuesta este bolso?

b POSIBLE EMPAREJAMIENTO:

1-B; 2-D; 3-C; 4-E; 5-A.

5 POSIBLES RESPUESTAS:

Países: Japón, Bélgica, Portugal, Brasil, Suiza, Suecia.
Nacionalidades. belga, inglesa, suiza, sueca.
Nombres de parentesco: padre, madre, tío (a), sobrina, abuelo, nieto (a).
Adjetivos de descripción física: alto, bajo, gorda, guapo, rubio(a), morena.
Colores: negro(a), blanco, roja, azul, gris.
Objetos: libro, cuaderno, lapicero/lápiz, sobre, postal.

DESCUBRE ESPAÑA y AMÉRICA LATINA

8

—¿Tiene agendas?
—*Sí. Mire, aquí están. Tenemos todas estas.*
—¿Puedo ver esa negra?
—*¿Esta?*
—Sí, sí esa. ¿Cuánto cuesta?
—*Trece euros con cuarenta céntimos.*
—Vale. Me la llevo.

soluciones

1

Intrusos: playa, abuela, río, ingeniero, serio.
Capital de un país europeo: París

2

2. Soy de un pueblo que **es** muy famoso por sus fiestas.
3. ¿Quién **es** ese señor?
4. Mi pueblo **está** en la costa mediterránea, cerca de Valencia.
7. **Es** enfermera.

3

1. de; 2. en; 3. de; 4. en; 5. de;
6. de; 7. de; 8. en, en; 9. en; 10. en, en

4

1. Madrid: 3.108.463
2. Barcelona: 1.712.350
3. Valencia: 749.574
4. Sevilla: 669.976
5. Zaragoza: 586.574
6. Málaga: 555.518

DESCUBRE ESPAÑA y AMÉRICA LATINA

8

Ciudad: México.
Número de habitantes: unos 20 millones.
Situación: Está en el centro del país a 2.309 m. sobre el nivel del mar.
Origen: Tenochtitlán, capital del imperio azteca.
Lugar de interés: la plaza del Zócalo; las ruinas de Tenochtitlán.

1

S	U	B	E	S	I	L	L	A	D
I	C	T	R	O	V	E	K	H	E
L	P	E	V	F	A	Z	U	C	I
L	A	R	M	A	R	I	O	Ñ	C
O	X	A	B	F	A	G	L	E	A
N	U	R	O	P	Y	B	U	L	M
E	S	T	A	N	T	E	R	I	A
Q	I	L	H	U	S	F	U	P	G
O	R	M	E	S	I	L	L	A	Y

2

Cocina: lavadora, cocina de gas, frigorífico, silla.
Dormitorio: silla, armario, mesilla, cama.
Baño: lavabo, ducha, bañera.
Salón: televisión, silla, estantería, sillón, sofá.

3

interior ≠ exterior
pequeña ≠ grande
nueva ≠ vieja
feo ≠ bonito
moderna ≠ antigua
ancha ≠ estrecha
barato ≠ caro
delgado ≠ gordo

Sobran: tranquila, inteligente, famosa, gracioso.

4

"Mi piso es bastante grande. Tiene cuatro habitaciones, salón, cocina y baño. También tiene dos terrazas, pero muy pequeñas. Es bastante antiguo y muy bonito. Además, da a una plaza muy tranquila y tiene mucha luz. Lo malo es que es un cuarto piso y no tiene ascensor."

6

1. Entre; 2. Izquierda; 3. Detrás; 4. Debajo; 5. En; 6. Delante; 7. Encima; 8. Derecha.

7

a)
1. Verdadera; 2. Falsa; 3. Falsa; 4. Verdadera; 5. Falsa; 6. Verdadera.

b)
2. El perro y el niño están a la izquierda del árbol.
3. La abuela está delante del abuelo.
5. El perro está encima del periódico.

8 — POSIBLES RESPUESTAS:

En el dibujo de la izquierda:

- El niño está al lado del sofá.
- El gato está a la izquierda de la mesa.
- El teléfono está encima de la mesita.
- El periódico está encima de la mesita.
- La silla está detrás de la mesa.

En el dibujo de la derecha:

- El niño está al lado de la mesa.
- El gato está a la derecha de la mesa (entre la mesa y la mesita).
- El teléfono está en el suelo (entre la mesita y el sofá).
- El periódico está debajo de la mesita.
- La silla está delante de la mesa.

DESCUBRE ESPAÑA y AMÉRICA LATINA

11 a

1. En una casa española viven más personas que en una casa de la Unión Europea (media).
2. En España hay muchas casas habitadas por una pareja que tiene hijos.
3. El porcentaje de parejas españolas sin hijos es uno de los más bajos de la Unión Europea.
4. El porcentaje de españoles que viven solos es inferior a la media europea.

b

1. En España (85,9%).
2. En Alemania (54,4%).

lección 9

1

1. Museo; 2. Farmacia; 3. Estación de metro;
4. Aparcamiento; 5. Parada de autobús; 6. Café;
7. Estanco; 8. Cine.

2

1. está, 2. hay, hay; 3. está; 4. hay; 5. está; 6. está.

3

1. —¿La calle de Atocha, por favor?
2. —¿Sabes dónde hay un estanco?
   —Sí, mira, hay uno enfrente de ese quiosco.
3. —El Banco Exterior está por aquí, ¿verdad?
4. —Oye, perdona, ¿sabes dónde hay una parada de autobús?
   —Sí, en la siguiente calle hay una.
5. —¿La plaza Real está por aquí?
6. —Perdone, ¿sabe dónde está el teatro Romea?
7. —Perdona, el café Central está por aquí?
8. —Oiga, perdone, ¿hay un aparcamiento por aquí cerca?
   —Sí, hay uno en esta misma calle, un poco más adelante.

4 a

1. usted; 2. tú; 3. usted; 4. tú; 5. usted; 6. usted.

b

Tú
Cruza la plaza de los Claveles.
Sigue todo recto.
Coge la primera a la derecha.
Oye, perdona, ¿el paseo Rosales está por aquí?
Gira la segunda a la izquierda.
¿Sabes dónde hay una cabina de teléfono?

Usted
Cruce la plaza de los Claveles.
Siga todo recto.
Coja la primera a la derecha.
Oiga, perdone ¿el paseo Rosales está por aquí?
Gire la segunda a la izquierda.
¿Sabe dónde hay una cabina de teléfono?

5 POSIBLES RESPUESTAS:

1. Sigue todo recto por esta calle y gira la segunda a la derecha. Después sigue todo recto y cruza dos calles. La biblioteca está (en la esquina de la segunda calle) a la derecha.

6

1.53 Las dos menos siete minutos.
1.35 Las dos menos veinticinco.
5.13 Las cinco y trece minutos.
5.31 Las seis menos veintinueve minutos.
3.15 Las tres y cuarto.
3.51 Las cuatro menos nueve minutos.

8 a

1. Verdadero; 4. Falso; 5. Verdadero; 6. Verdadero; 7. Falso.

b POSIBLES FRASES VERDADERAS:

4. Una hora tiene tres mil seiscientos segundos.
   Un minuto tiene sesenta segundos.
7. El miércoles no es un día del fin de semana.
   El sábado es un día del fin de semana.
   El domingo es un día del fin de semana.

DESCUBRE ESPAÑA y AMÉRICA LATINA

12 a

- La Cabaña es un restaurante de cocina argentina.
- Está abierto todos los días de la semana.
- Por la noche abre a las 9 y cierra a las 12.
- Está muy cerca del Congreso de los Diputados.
- Si vas a ese restaurante tienes dos horas de aparcamiento gratuito.

b POSIBLES RESPUESTAS:

Sigue/siga todo recto por la calle de San Jerónimo y gira/gire la segunda a la izquierda. El restaurante está en esa calle, a la derecha.

2. Sí, hay una muy cerca. Siga todo recto por esta calle y gire la segunda a la izquierda. La oficina está allí mismo, a la izquierda.

lección 10

1

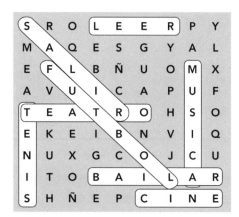

2

1. gusta; 2. gusta; 3. gustan; 4. gusta; 5. gusta; 6. gustan;
7. gustan; 8. gusta. 9. gustan; 10. gusta; 11. gusta.

3

Marta: ¿Te gusta ver la televisión?
Óscar: Sí, ¿y a ti?
Marta: A mí no.

Rosa: ¿Te gusta el cine?
Marta: Sí, ¿y a ti?
Rosa: A mí también.

Rosa: ¿Te gusta leer?
Óscar: No, ¿y a ti?
Rosa: A mí sí.

Marta: ¿Te gusta el tenis?
Rosa: No, ¿y a ti?
Marta: A mí tampoco.

Óscar: ¿Te gusta el rock?
Rosa: No, ¿y a ti?
Óscar: A mí sí.

Óscar: ¿Te gusta el teatro?
Marta: No, ¿y a ti?
Óscar: A mí tampoco.

4

1. ¿Te gusta jugar al tenis?
2. No nos gusta nada esquiar.
3. ¿Os gusta la música pop?
4. A nosotros nos encantan los gatos.
5. A mí no me gusta nada el rock
6. A mis padres les encanta bailar.
7. ¿Le gusta la música clásica?
8. A mi abuelo le gusta mucho la televisión.

lección 11

1

1. Comer; 2. Volver; 3. Empezar; 4. Ir; 5. Levantarse;
6. Desayunar; 7. Cenar; 8. Acostarse; 9. Terminar; 10. Trabajar.

2

Regulares: comer, levantarse, desayunar, cenar, terminar, trabajar. **Irregulares:** volver, empezar, ir, acostarse.

3

1. ¿A qué hora te levantas?
2. ¿Desayunas en casa?
3. ¿Trabajas cerca de casa?
4. ¿A qué hora empiezas a trabajar?
5. ¿Trabajas por la tarde?
6. ¿Te acuestas muy tarde?
7. ¿A qué hora terminas de trabajar?

4 POSIBLE TEXTO:

Elisa es enfermera, trabaja en un hospital. Se levanta a las siete menos cuarto y empieza a trabajar a las ocho. Todos los días come a la una y media en el restaurante del hospital con algunos compañeros de trabajo. Termina de trabajar a las cinco en punto y después va a clase de inglés. Luego vuelve a casa y cena con su familia. Normalmente se acuesta bastante pronto, sobre las once.

5 POSIBLES PREGUNTAS:

Tú: ¿A qué te dedicas?
Elisa: Trabajo en un hospital, soy enfermera.
Tú: ¿A qué hora te levantas?
Elisa: A las 6.45 de la mañana.

Tú: ¿A qué hora empiezas a trabajar?
Elisa: A las 8 de la mañana.
Tú: ¿Dónde comes?
Elisa: En el restaurante del hospital.
Tú: ¿A qué hora terminas de trabajar?
Elisa: A las 5 de la tarde.
Tú: ¿Y qué haces después/luego?
Elisa: Voy a clase de inglés.
Tú: ¿Dónde cenas?
Elisa: En casa.
Tú: ¿Te acuestas (muy) tarde?
Elisa: No, sobre las 11 de la noche.

7

1. ¿Comes en casa?
2. No, en el restaurante de mi trabajo.
3. ¿Trabajas por la tarde?
4. Sí, hasta las cinco y cuarto.
5. ¿Te acuestas muy tarde?
6. Los fines de semana, sí.

DESCUBRE ESPAÑA Y AMÉRICA LATINA

9 a

1. De 8 a 9 de la mañana.
2. Treinta minutos.
3. Un 28% trabaja fuera de la ciudad.

1

Hacer la limpieza; hacer la compra; hacer deporte; escuchar la radio; jugar al tenis; jugar al fútbol; ver la televisión; comer fuera; ir al campo; ir de compras; ir de copas; ir al cine.

2

Actividades de tiempo libre: pasear, esquiar, ir a conciertos, ir al teatro, ver exposiciones.
Días de la semana: lunes, miércoles, jueves, viernes, domingo.
Cosas que hacemos todos los días: comer, acostarse, desayunar, cenar, levantarse.
Adverbios de frecuencia: nunca, a veces, normalmente, a menudo, siempre.

3 a

"Pues el domingo es un día muy tranquilo. Normalmente nos levantamos bastante tarde. Después salimos a comprar el periódico y nos damos una vuelta o vamos a ver alguna exposición. Siempre tomamos el vermú fuera y luego comemos en algún restaurante o con nuestras familias. Por la tarde siempre nos quedamos en casa y escuchamos música o vemos alguna película en el vídeo o en la televisión. A veces vienen algunos amigos nuestros a pasar la tarde con nosotros, pero no salimos nunca, no nos gusta nada el ambiente de los domingos por la tarde."

b

Palabras o expresiones que significan:
- beber: **tomar**
- pasear: **darse una vuelta**
- aperitivo: **vermú**

4 POSIBLES RESPUESTAS:

- Se levantan bastante tarde.
- Salen a comprar el periódico.
- Se dan una vuelta o van a ver alguna exposición.
- Toman el vermú fuera.
- Comen en algún restaurante o con sus familias.
- Por la tarde se quedan en casa.
- Por la tarde escuchan música o ven alguna película en el vídeo o en la televisión.

5

1. Tú vas a muchos conciertos, ¿verdad?
2. ¿Qué haces los sábados por la tarde?
3. ¿A qué hora vuelves a casa normalmente?
4. Tú te quedas en Madrid muchos fines de semana, ¿no?
5. Mi hermana pequeña va mucho a bailar.
6. Normalmente salgo de casa bastante pronto.
7. ¡Mi marido se levanta a las seis de la mañana todos los días!

6

1. ¿Os acostáis muy tarde los domingos?
2. Los sábados nos levantamos bastante tarde.
3. ¿Veis mucho la televisión?
4. ¿Os gusta montar en bicicleta?
5. ¿Cuándo hacéis la compra?
6. Mis padres se levantan bastante pronto.
7. ¿Trabajan los fines de semana?
8. Ana y Pepe hacen mucho deporte los fines de semana.
9. ¿Les gusta esquiar?
10. ¿Salís mucho?

DESCUBRE ESPAÑA Y AMÉRICA LATINA

9 a

- Actividad más practicada: ver la televisión.
- Actividad más deseada: viajar, hacer excursiones.

1

Intrusos: roja, entre, tarde, mano, otra.
Medio de transporte: Metro.

2

1. Tu profesora es muy joven, ¿verdad?
2. ¿Tienes mucho frío?
3. Hoy estás muy contenta, ¿no?
4. ¿Te duele mucho?
5. A mi padre le gusta mucho el rock.
6. Pues yo soy de un pueblo muy pequeño.
7. Tu hermano es muy simpático, ¿eh?
8. ¿Estudias mucho?
9. Me duele mucho este pie.
10. Dice que tiene mucho calor y que le duele bastante la cabeza.

3

1. Me duelen los oídos.
2. Me duele el estómago.
3. Estoy resfriado.
4. Tengo fiebre.
5. Me duelen los ojos.
6. Tengo la gripe.

4 POSIBLES DIÁLOGOS:

A:
—¡Tengo treinta y ocho de fiebre!
—¿Y por qué no te vas a la cama?
—Sí, si sigo así...

B:
—Tengo un dolor horrible en la espalda...
—¿Te doy un masaje?
—¡Ay, sí!, por favor.

C:
—Me duelen muchísimo las muelas.
—¿Quieres un calmante?
—¿Un calmante? Es que prefiero no tomar nada...

D:
—Estoy resfriado.
—¿Por qué no te tomas un vaso de leche con coñac?
—Es que no me gusta el coñac.

soluciones

5

1. —¿Cómo venís a clase?
   —Andando.
2. —¿A qué hora empiezas a trabajar?
   —A las siete de la mañana.
3. —¿Vosotros también tenéis un mes de vacaciones?
   —No, tenemos dos.
4. —¿Quiere una aspirina?
   —Es que prefiero no tomar nada.

6 PALABRAS O EXPRESIONES QUE SIGNIFICAN:

pronto: **temprano**
hace deporte: **realiza ejercicio**
al día: **diarias**

DESCUBRE ESPAÑA Y AMÉRICA LATINA

11 a

25%: El 25% de los españoles más ricos está satisfecho con su salud.
12,5%: El 12,5 % de los españoles pobres está satisfecho con su salud.
61,6%: El 61,6 % de los españoles adultos va al médico general.
73,7%: La media europea de los adultos que van al médico general es el 73,7%
40%: Más del 40% de los españoles visita a un especialista.

1

1. Sí, soy yo.
2. Un momento, ahora se pone.
3. ¿De parte de quién?
4. En este momento no puede ponerse.
5. No, no es aquí. Se equivoca.
6. ¿Está Rosa?
7. No, no está. Volverá más tarde.

2

		Nombre o título	¿Dónde?	¿Cuándo?
1	Una exposición de dibujos	Séptima cita con el dibujo	Alfama Serrano, nº 7	Todos los días laborables, excepto lunes por la mañana
2	Un restaurante italiano	La Trovata	Jorge Juan, nº 29	....
3	Un concierto de música de origen africano	Afro Brass	Siroco - San Dimas, nº 3	El sábado, día 6, a las 22 h.
4	Una película china en versión original	Semilla de crisantemo	Renoir	No se sabe

4

1. —¿Quieres venir a dar una vuelta?
   —*Vale. De acuerdo.*
2. —¿Vamos al teatro esta noche?
   —*Esta noche no puedo. Es que tengo que estudiar. Pero si quieres mañana...*
   —Es que mañana yo no puedo.

5

1. Vale. ¿Y qué podemos hacer?
2. Es que no me va bien tan pronto.
3. Perfecto. Entonces quedamos a las once menos cuarto en la puerta.
4. ¡Ah! Muy Bien. ¿A qué hora empieza?

6

—Oye, ¿nos vemos mañana por la noche?
—*Vale. ¿Y qué podemos hacer?*
—Pues mira, hay un concierto de Aurora Beltrán en la Sala Universal...
—*¡Ah! Muy bien. ¿A qué hora empieza?*
—A las once, así que podemos quedar sobre las diez en la puerta.
—*Es que no me va bien tan pronto.*
—¿Y a las once menos cuarto?
—*Perfecto. Entonces quedamos a las once menos cuarto en la puerta.*

7

Irregularidad o → ue: poder, acordarse, dormir, volver, acostarse.
Irregularidad e → ie: preferir, empezar, entender, venir tener, cerrar, querer.

Infinitivo	Presente de Indicativo	
poder	yo puedo	nosotros podemos
preferir	tú prefieres	vosotros preferís
acordarse	él se acuerda	ellos se acuerdan
entender	yo entiendo	nosotros entendemos
dormir	tú duermes	vosotros dormís
empezar	yo empiezo	nosotros empezamos
volver	usted vuelve	ustedes vuelven
cerrar	ella cierra	ellas cierran
tener	tú tienes	vosotros tenéis
acostarse	usted se acuesta	ustedes se acuestan
querer	yo quiero	nosotros queremos

1 b

- **Salir:** ir a tomar algo, quedar (con alguien), nadar, dar una vuelta, ir al gimnasio.
- **Estar en casa:** enviar un correo electrónico, quedarse en casa, ver un vídeo.

2 a

- **Presente:** termináis, se acuestan, vamos, escribe, estoy, vuelvo, viene.
- **Pretérito indefinido:** se levantó, vimos, fuiste, telefoneó, hice, quedaste, abrieron.

b

termináis – terminasteis; se acuestan – se acostaron; vamos – fuimos; escribe – escribió; estoy – estuve; vuelvo – volví; viene – vino.

3 a

Fui, volví, vi, me acosté, quedé, tomamos, volvimos.

4 a

1. ¿Fuiste a clase ayer?
2. ¿Comiste fuera?
3. ¿Hiciste deporte?
4. ¿Estuviste con tus amigos por la tarde?
5. ¿Te quedaste en casa por la tarde?
6. ¿Viste una película?
7. ¿Te acostaste tarde?

b

A – 6; B – 2; C – 1; D – 3; E – 7; F – 4; G – 5.

DESCUBRE ESPAÑA Y AMÉRICA LATINA

6 b

- Ayer por la tarde Rosa y su amiga estuvieron/se quedaron en casa (de la amiga) y vieron una película en la televisión.
- Gloria y su amigo fueron a dar una vuelta. Estuvieron en el parque del Oeste, tomaron algo y volvieron a casa un poco tarde.